Préface de Cromwell

VICTOR HUGO

drame romantique

Édition présentée,
annotée et commentée
par
Évelyne Amon
Certifiée de lettres

www.petitsclassiqueslarousse.com

ISBN : 978-2-03-584635-8

Préface de Cromwell

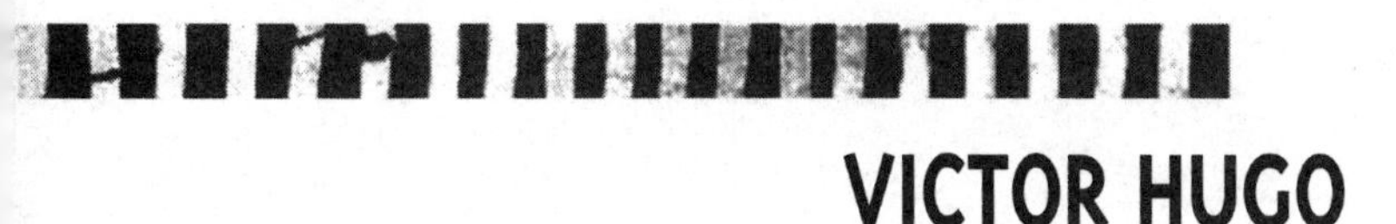

VICTOR HUGO

drame romantique

SOMMAIRE

Préface de Cromwell

VICTOR HUGO

PREMIÈRE PARTIE 7
DEUXIÈME PARTIE *10*
TROISIÈME PARTIE *39*
QUATRIÈME PARTIE 72

Comment lire l'œuvre

Fiche d'identité de l'œuvre *94*
Biographie *96*
Contextes *100*
Tableau chronologique *108*
Genèse de l'œuvre *117*
Examens méthodiques *124*
Études d'ensemble *135*
Destin de l'œuvre *164*
Outils de lecture *168*
Bibliographie *173*

Victor Hugo par Bonnat, 1879, Musée Victor Hugo, Paris.

[JUSTIFICATION DE LA *PRÉFACE*]

Le drame qu'on va lire n'a rien qui le recommande à l'attention et à la bienveillance du public. Il n'a point, pour attirer sur lui l'intérêt des opinions politiques, l'avantage du *veto* de la censure administrative[1], ni même, pour lui concilier tout d'abord la sympathie littéraire des hommes de goût, l'honneur d'avoir été officiellement rejeté par un comité de lecture infaillible[2].

Il s'offre donc aux regards, seul, pauvre et nu, comme l'infirme de l'Évangile[3], *solus, pauper, nudus*[4].

Ce n'est pas du reste sans quelque hésitation que l'auteur de ce drame s'est déterminé à le charger de notes et d'avant-propos. Ces choses sont d'ordinaire fort indifférentes aux lecteurs. Ils s'informent plutôt du talent d'un écrivain que de ses façons de voir ; et, qu'un ouvrage soit bon ou mauvais, peu leur importe sur quelles idées il est assis, dans quel esprit il a germé. On ne visite guère les caves d'un édifice dont on a parcouru les salles, et quand on mange le fruit de l'arbre, on se soucie peu de la racine.

D'un autre côté, notes et préfaces sont quelquefois un moyen commode d'augmenter le poids d'un livre et d'accroître, en apparence du moins, l'importance d'un travail ; c'est une tactique semblable à celle de ces généraux

---

1. **Veto de la censure administrative :** la censure a été rétablie en juin 1827.
2. **Comité de lecture infaillible :** celui du Théâtre Français.
3. **L'infirme de l'Évangile :** dans ce texte sacré, il n'y a pas d'infirme « seul pauvre et nu ». Hugo fait peut-être référence à l'infirme qui, dans les Actes des Apôtres (chap. III), demande l'aumône à la porte nommée « Belle du temple » à Jérusalem. Ou bien au passage de l'Apocalypse (III, 17) : « Tu dis : Je suis riche, je me suis enrichi, et je n'ai besoin de rien. Et tu ne sais pas que tu es malheureux et misérable, et pauvre, et aveugle, et nu. »
4. **... nudus :** ces deux premiers paragraphes sont postérieurs à la rédaction du manuscrit.

d'armée, qui, pour rendre plus imposant leur front de bataille, mettent en ligne jusqu'à leurs bagages. Puis, tandis que les critiques s'acharnent sur la préface et les érudits sur les notes, il peut arriver que l'ouvrage lui-même leur échappe et passe intact à travers leurs feux croisés, comme une armée qui se tire d'un mauvais pas entre deux combats d'avant-poste et d'arrière-garde.

Ces motifs, si considérables qu'ils soient, ne sont pas ceux qui ont décidé l'auteur. Ce volume n'avait pas besoin d'être *enflé*, il n'est déjà que trop gros. Ensuite, et l'auteur ne sait comment cela se fait, ses préfaces, franches et naïves, ont toujours servi près des critiques plutôt à le compromettre qu'à le protéger[1]. Loin de lui être de bons et fidèles boucliers, elles lui ont joué le mauvais tour de ces costumes étranges qui, signalant dans la bataille le soldat qui les porte, lui attirent tous les coups et ne sont à l'épreuve d'aucun.

Des considérations d'un autre ordre ont influé sur l'auteur. Il lui a semblé que si, en effet, on ne visite guère par plaisir les caves d'un édifice, on n'est pas fâché quelquefois d'en examiner les fondements. Il se livrera donc, encore une fois, avec une préface, à la colère des feuilletons. *Che sara, sara*[2]. Il n'a jamais pris grand souci de la fortune[3] de ses ouvrages, et il s'effraye peu du *qu'en-dira-t-on* littéraire. Dans cette flagrante discussion qui met aux prises les théâtres et l'école, le public et les académies, on

1. **« ... plutôt à le compromettre qu'à le protéger »** : allusion à la préface des *Nouvelles Odes* (3e édition), qui avait soulevé une controverse parmi les classiques. Dans le *Journal des débats* du 8 janvier 1827, il était recommandé au jeune poète : « Qu'il se garde surtout d'exposer dans de petites préfaces, ce qu'il appelle ses principes, son système. »

2. ***Che sara, sara*** : dicton italien légèrement déformé par Hugo *(cio/quel que sara, sara)* et qui correspond à notre formule « advienne que pourra ».

3. **Fortune** : destin, réception parmi le public et les critiques.

n'entendra peut-être pas sans quelque intérêt la voix d'un solitaire *apprentif*[1] de nature et de vérité, qui s'est de bonne heure retiré du monde littéraire par amour des lettres, et qui apporte de la bonne foi à défaut de *bon goût*, de la conviction à défaut de talent, des études à défaut de science.

Il se bornera du reste à des considérations générales sur l'art, sans en faire le moins du monde un boulevard à son propre ouvrage, sans prétendre écrire un réquisitoire ni un plaidoyer pour ou contre qui que ce soit. L'attaque ou la défense de son livre est pour lui moins que pour tout autre la chose importante. Et puis les luttes personnelles ne lui conviennent pas. C'est toujours un spectacle misérable que de voir ferrailler les amours-propres. Il proteste donc d'avance contre toute interprétation de ses idées, toute application de ses paroles, disant avec le fabuliste espagnol[2] :

Quien haga aplicaciones
Con su pan se lo coma[3].

À la vérité, plusieurs des principaux champions des « saines doctrines littéraires » lui ont fait l'honneur de lui jeter le gant, jusque dans sa profonde obscurité, à lui, simple et imperceptible spectateur de cette curieuse mêlée. Il n'aura pas la fatuité[4] de le relever. Voici, dans les pages qui vont suivre, les observations qu'il pourrait leur

1. **Apprentif :** orthographe ancienne de « apprenti ».
2. **Le fabuliste espagnol :** Tomas de Iriarte dans ses *Fabulas literarias.*
3. **Quien haga aplicaciones / Con su pan se lo coma :** « celui qui fera des applications, qu'il se le mange avec son pain », autrement dit « qu'il le garde pour lui, c'est son affaire ».
4. **Fatuité :** vanité.

opposer ; voici sa fronde et sa pierre ; mais d'autres, s'ils veulent, les jetteront à la tête des Goliaths *classiques*[1].

Cela dit, passons.

[LA THÉORIE DES TROIS ÂGES]

Partons d'un fait : la même nature de civilisation, ou, pour employer une expression plus précise, quoique plus étendue, la même société n'a pas toujours occupé la terre. Le genre humain dans son ensemble a grandi, s'est développé, a mûri comme un de nous. Il a été enfant, il a été homme ; nous assistons maintenant à son imposante vieillesse. Avant l'époque que la société moderne a nommée antique, il existe une autre ère, que les Anciens appelaient *fabuleuse*, et qu'il serait plus exact d'appeler *primitive*. Voilà donc trois grands ordres de choses successifs dans la civilisation, depuis son origine jusqu'à nos jours. Or, comme la poésie se superpose toujours à la société, nous allons essayer de démêler, d'après la forme de celle-ci, quel a dû être le caractère de l'autre, à ces trois grands âges du monde : les temps primitifs, les temps antiques, les temps modernes.

Aux temps primitifs, quand l'homme s'éveille dans un monde qui vient de naître, la poésie s'éveille avec lui. En présence des merveilles qui l'éblouissent et qui l'enivrent, sa première parole n'est qu'un hymne[2]. Il touche encore de si près à Dieu que toutes ses méditations sont des

1. **Goliaths *classiques*** : ici, les tenants de l'art classique sont ironiquement assimilés au géant vaincu dont le combat avec David fait l'objet d'un récit dans la Bible.
2. **Hymne** : forme très ancienne de poésie ou de chant dédié à l'adoration et à l'invocation.

extases, tous ses rêves des visions. Il s'épanche, il chante comme il respire. Sa lyre n'a que trois cordes, Dieu, l'âme, la création ; mais ce triple mystère enveloppe tout, mais cette triple idée comprend tout. La terre est encore à peu près déserte. Il y a des familles, et pas de peuples ; des pères, et pas de rois. Chaque race existe à l'aise ; point de propriété, point de loi, point de froissements, point de guerres. Tout est à chacun et à tous. La société est une communauté. Rien n'y gêne l'homme. Il mène cette vie pastorale et nomade par laquelle commencent toutes les civilisations, et qui est si propice aux contemplations solitaires, aux capricieuses rêveries[1]. Il se laisse faire, il se laisse aller. Sa pensée, comme sa vie, ressemble au nuage qui change de forme et de route, selon le vent qui le pousse. Voilà le premier homme, voilà le premier poète. Il est jeune, il est lyrique. La prière est toute sa religion : l'ode est toute sa poésie.

Ce poème, cette ode des temps primitifs, c'est la Genèse[2].

Peu à peu cependant cette adolescence du monde s'en va. Toutes les sphères s'agrandissent ; la famille devient tribu, la tribu devient nation. Chacun de ces groupes d'hommes se parque autour d'un centre commun, et voilà les royaumes. L'instinct social succède à l'instinct nomade. Le camp fait place à la cité, la tente au palais, l'arche au temple. Les chefs de ces naissants États sont bien encore pasteurs, mais pasteurs de peuples ; leur bâton pastoral a déjà forme de sceptre. Tout s'arrête et se fixe. La religion

1. **Rêveries** : on trouve ici l'influence de Rousseau et de Chateaubriand.
2. **Genèse** : premier livre de la Bible, qui raconte l'histoire du monde, depuis sa création par Dieu jusqu'à la mort en Égypte de Joseph, fils de Jacob. Ces théories sont empruntées à Chateaubriand.

prend une forme ; les rites règlent la prière ; le dogme[1] vient encadrer le culte[2]. Ainsi le prêtre et le roi se partagent la paternité du peuple ; ainsi à la communauté patriarcale[3] succède la société théocratique[4].

Cependant les nations commencent à être trop serrées sur le globe. Elles se gênent et se froissent ; de là les chocs d'empires, la guerre[5]. Elles débordent les unes sur les autres ; de là les migrations de peuples, les voyages[6]. La poésie reflète ces grands événements ; des idées elle passe aux choses. Elle chante les siècles, les peuples, les empires. Elle devient épique, elle enfante Homère[7].

Homère, en effet, domine la société antique. Dans cette société, tout est simple, tout est épique. La poésie est religion, la religion est loi. À la virginité du premier âge a succédé la chasteté du second. Une sorte de gravité solennelle s'est empreinte partout, dans les mœurs domestiques comme dans les mœurs publiques. Les peuples n'ont

1. **Dogme** : doctrine, catéchisme. Dans le vocabulaire religieux, le dogme est un article de foi établi comme une vérité fondamentale et incontestable. Dans la religion chrétienne, l'immortalité de l'âme est un dogme, de même que la résurrection des corps.
2. **Culte** : attitude religieuse de respect et d'adoration.
3. **Patriarcale** : organisée sur le principe de l'autorité paternelle.
4. **Théocratique** : gouvernée par des personnes considérées comme les représentants, voire des incarnations de Dieu. La société égyptienne était théocratique.
5. **La guerre** : l'*Iliade* (note de V. Hugo). Cette note et les suivantes ont été ajoutées par Hugo dans l'édition de 1828, mais, d'après le manuscrit, elles ont été écrites le 28 octobre 1827. Le poète précisera d'ailleurs : « elles sont numériquement très incomplètes. L'auteur les a tirées au hasard d'un amas énorme de déblais et de matériaux ; il a pris, non les plus importantes, mais les premières venues. Peu propre à ce travail, il l'a fort mal fait. » L'*Iliade* du poète Homère est une épopée en 24 chants qui fait le récit d'un épisode de la guerre de Troie.
6. **Les voyages** : l'*Odyssée* (note de V. Hugo). Ce poème épique, constitué également de 24 chants, raconte les aventures d'Ulysse revenant à Ithaque, son royaume, après la prise de Troie.
7. **Homère** : le plus célèbre des poètes de la Grèce antique (v. 850 av. J.-C.). On lui attribue les épopées de l'*Iliade* et l'*Odyssée*.

conservé de la vie errante que le respect de l'étranger et du voyageur. La famille a une patrie ; tout l'y attache ; il y a le culte du foyer, le culte des tombeaux.

Nous le répétons, l'expression d'une pareille civilisation ne peut être que l'épopée[1]. L'épopée y prendra plusieurs formes, mais ne perdra jamais son caractère. Pindare[2] est plus sacerdotal[3] que patriarcal, plus épique que lyrique. Si les annalistes, contemporains nécessaires de ce second âge du monde, se mettent à recueillir les traditions et commencent à compter avec les siècles, ils ont beau faire, la chronologie ne peut chasser la poésie ; l'histoire reste épopée. Hérodote[4] est un Homère.

Mais c'est surtout dans la tragédie antique que l'épopée ressort de partout. Elle monte sur la scène grecque sans rien perdre en quelque sorte de ses proportions gigantesques et démesurées. Ses personnages sont encore des héros, des demi-dieux, des dieux ; ses ressorts, des songes, des oracles[5], des fatalités ; ses tableaux, des dénombrements, des funérailles, des combats. Ce que chantaient les rapsodes[6], les acteurs le déclament, voilà tout.

Il y a mieux. Quand toute l'action, tout le spectacle du poème épique ont passé sur la scène, ce qui reste,

1. **L'épopée** : long poème qui met en scène des héros dans des situations d'exception.
2. **Pindare** : poète lyrique grec (518-438 av. J.-C.).
3. **Sacerdotal** : religieux. Ce jugement est discutable et discuté. Les *Odes* de Pindare restent le chef-d'œuvre du lyrisme grec, le chantre des grandes émotions collectives du peuple grec.
4. **Hérodote** : historien grec (v. 484-v. 420 av. J.-C.) considéré comme le « père de l'histoire », premier prosateur dont l'œuvre nous soit parvenue.
5. **Oracles** : réponses que les dieux donnaient à ceux qui les consultaient dans des lieux sacrés.
6. **Rapsodes** : graphie archaïque de « rhapsodes », chanteurs de la Grèce antique, qui allaient de ville en ville réciter les œuvres des poètes — surtout d'Homère.

le chœur[1] le prend. Le chœur commente la tragédie, encourage les héros, fait des descriptions, appelle et chasse le jour, se réjouit, se lamente, quelquefois donne la décoration, explique le sens moral du sujet, flatte le peuple qui l'écoute. Or, qu'est-ce que le chœur, ce bizarre personnage placé entre le spectacle et le spectateur, sinon le poète complétant son épopée ?

Le théâtre des Anciens est, comme leur drame, grandiose, pontifical[2], épique. Il peut contenir trente mille spectateurs ; on y joue en plein air, en plein soleil ; les représentations durent tout le jour. Les acteurs grossissent leur voix, masquent leurs traits, haussent leur stature ; ils se font géants, comme leurs rôles. La scène est immense. Elle peut représenter tout à la fois l'intérieur et l'extérieur d'un temple, d'un palais, d'un camp, d'une ville. On y déroule de vastes spectacles. C'est, et nous ne citons ici que de mémoire, c'est Prométhée[3] sur sa montagne ; c'est Antigone cherchant du sommet d'une tour son frère Polynice dans l'armée ennemie *(Les Phéniciennes*[4]*)* ; c'est Evadné se jetant du haut d'un rocher dans les flammes où brûle le corps de Capanée (*Les Suppliantes* d'Euripide) ; c'est un vaisseau qu'on voit surgir au port, et qui débarque sur la scène cinquante princesses avec leur suite

1. **Chœur** : dans le théâtre grec, groupe d'acteurs déclamant des vers lyriques qui présentent ou commentent l'action. Cette définition du chœur est contestée. Le chœur antique n'est pas un personnage complémentaire. À l'origine, il est étroitement lié à l'action tragique : son chant se mêle au dialogue.
2. **Pontifical** : relatif au grandiose.
3. **Prométhée** : dans la mythologie, l'un des Titans. Pour avoir volé le feu aux dieux, pour le donner aux hommes, il fut enchaîné au sommet du Caucase où un aigle lui rongeait le foie pour l'éternité. Référence au *Prométhée enchaîné* du poète grec Eschyle (525-456 av. J.-C.).
4. ***Les Phéniciennes*** : tragédie d'Euripide (480-406 av. J.-C.).

(*Les Suppliantes*[1] d'Eschyle). Architecture et poésie, là, tout porte un caractère monumental. L'Antiquité n'a rien de plus solennel, rien de plus majestueux. Son culte et son histoire se mêlent à son théâtre. Ses premiers comédiens sont des prêtres ; ses jeux scéniques sont des cérémonies religieuses, des fêtes nationales.

Une dernière observation qui achève de marquer le caractère épique de ces temps, c'est que par les sujets qu'elle traite, non moins que par les formes qu'elle adopte, la tragédie ne fait que répéter l'épopée. Tous les tragiques anciens détaillent Homère. Mêmes fables, mêmes catastrophes, mêmes héros. Tous puisent au fleuve homérique. C'est toujours l'*Iliade* et l'*Odyssée.* Comme Achille traînant Hector, la tragédie grecque tourne autour de Troie.

Cependant l'âge de l'épopée touche à sa fin. Ainsi que la société qu'elle représente, cette poésie s'use en pivotant sur elle-même. Rome calque la Grèce, Virgile[2] copie Homère ; et, comme pour finir dignement, la poésie épique expire dans ce dernier enfantement.

Il était temps. Une autre ère va commencer pour le monde et pour la poésie.

Une religion spiritualiste[3], supplantant le paganisme matériel[4] et extérieur, se glisse au cœur de la société antique, la tue, et dans ce cadavre d'une civilisation décrépite dépose le germe de la civilisation moderne. Cette

1. ***Les Suppliantes*** : tragédie d'Eschyle (525-456 av. J.-C.).
2. **Virgile** : célèbre poète latin (70-19 av. J.-C.) auteur des *Bucoliques*, des *Géorgiques* et d'une épopée nationale, l'*Énéide*. Cette affirmation doit être prise avec prudence : la poésie latine n'est pas une simple réplique de la poésie grecque.
3. **Une religion spiritualiste** : le christianisme. En 1827, Hugo est encore fondamentalement attaché au catholicisme.
4. **Paganisme matériel** : religion fondée sur le polythéisme (plusieurs dieux et plusieurs cultes).

religion est complète, parce qu'elle est vraie ; entre son dogme et son culte, elle scelle profondément la morale. Et d'abord, pour premières vérités, elle enseigne à l'homme qu'il a deux vies à vivre, l'une passagère, l'autre immortelle ; l'une de la terre, l'autre du ciel. Elle lui montre qu'il est double comme sa destinée, qu'il y a en lui un animal et une intelligence, une âme et un corps ; en un mot, qu'il est le point d'intersection, l'anneau commun des deux chaînes d'êtres qui embrassent la création, de la série des êtres matériels et de la série des êtres incorporels, la première, partant de la pierre pour arriver à l'homme, la seconde, partant de l'homme pour finir à Dieu[1].

Une partie de ces vérités avait peut-être été soupçonnée par certains sages de l'Antiquité, mais c'est de l'Évangile que date leur pleine, lumineuse et large révélation. Les écoles païennes marchaient à tâtons dans la nuit, s'attachant aux mensonges comme aux vérités dans leur route de hasard. Quelques-uns de leurs philosophes jetaient parfois sur les objets de faibles lumières qui n'en éclairaient qu'un côté, et rendaient plus grande l'ombre de l'autre. De là tous ces fantômes créés par la philosophie ancienne. Il n'y avait que la sagesse divine qui pût substituer une vaste et égale clarté à toutes ces illuminations vacillantes de la sagesse humaine. Pythagore[2], Épicure[3], Socrate[4], Platon[5], sont des flambeaux ; le Christ, c'est le jour.

---

1. **« ... à Dieu »** : allusion possible à l'homme placé entre deux infinis chez Pascal (*Pensées*, 72).
2. **Pythagore** : philosophe grec (VIe siècle av. J.-C.).
3. **Épicure** : philosophe grec, matérialiste (341-270 av. J.-C.). Sa philosophie consistait à rechercher le bonheur à travers les plaisirs naturels.
4. **Socrate** : philosophe grec (470-399 av. J.-C.). Sa philosophie tourne autour du précepte : « connais-toi toi-même. »
5. **Platon** : philosophe grec (427-347 av. J.-C.). Pour lui, la réalité est le reflet du monde immatériel et absolu des Idées.

Du reste, rien de plus matériel que la théogonie[1] antique. Loin qu'elle ait songé, comme le christianisme, à diviser l'esprit du corps, elle donne forme et visage à tout, même aux essences, même aux intelligences. Tout chez elle est visible, palpable, charnel. Ses dieux ont besoin d'un nuage pour se dérober aux yeux. Ils boivent, mangent, dorment. On les blesse, et leur sang coule ; on les estropie, et les voilà qui boitent éternellement. Cette religion a des dieux et des moitiés de dieux. Sa foudre se forge sur une enclume, et l'on y fait entrer, entre autres ingrédients, trois rayons de pluie tordue[2], *tres imbris torti radios*. Son Jupiter suspend le monde à une chaîne d'or ; son soleil monte un char à quatre chevaux ; son enfer est un précipice dont la géographie marque la bouche sur le globe ; son ciel est une montagne.

Aussi le paganisme, qui pétrit toutes ses créations de la même argile, rapetisse la divinité et grandit l'homme[3]. Les héros d'Homère sont presque de même taille que ses dieux. Ajax défie Jupiter[4]. Achille vaut Mars. Nous venons de voir comme au contraire le christianisme sépare profondément le souffle de la matière. Il met un abîme entre l'âme et le corps, un abîme entre l'homme et Dieu.

À cette époque, et pour n'omettre aucun trait de l'esquisse à laquelle nous nous sommes aventuré, nous ferons remarquer qu'avec le christianisme et par lui, s'introduisait dans l'esprit des peuples un sentiment nouveau,

1. **Théogonie :** ensemble des divinités d'une religion.
2. **Trois rayons de pluie tordue :** allusion à un passage de l'*Énéide*. Dans l'Antre des Cyclopes, cela représente les compagnons de Vulcain qui, pour fabriquer la foudre, mêlent trois rayons de pluie et le bruit, trois rayons de flamme et la peur.
3. **Rapetisse la divinité et grandit l'homme :** influence de Chateaubriand qui dans *Génie du christianisme* écrit : « le plus grand et le premier vice de la mythologie était d'abord de rapetisser la nature » (IIe partie, I, IV, ch. I).
4. **Ajax défie Jupiter :** référence à l'*Odyssée* (IV, 499-511).

inconnu des Anciens et singulièrement développé chez les modernes, un sentiment qui est plus que la gravité et moins que la tristesse : la mélancolie[1]. Et en effet, le cœur de l'homme, jusqu'alors engourdi par des cultes purement hiérarchiques et sacerdotaux, pouvait-il ne pas s'éveiller et sentir germer en lui quelque faculté inattendue, au souffle d'une religion humaine parce qu'elle est divine, d'une religion qui fait de la prière du pauvre la richesse du riche, d'une religion d'égalité, de liberté, de charité ? Pouvait-il ne pas voir toutes choses sous un aspect nouveau, depuis que l'Évangile lui avait montré l'âme à travers les sens, l'éternité derrière la vie ?

D'ailleurs, en ce moment-là même, le monde subissait une si profonde révolution, qu'il était impossible qu'il ne s'en fît pas une dans les esprits. Jusqu'alors les catastrophes des empires avaient été rarement jusqu'au cœur des populations ; c'étaient des rois qui tombaient, des majestés qui s'évanouissaient, rien de plus. La foudre n'éclatait que dans les hautes régions, et, comme nous l'avons déjà indiqué, les événements semblaient se dérouler avec toute la solennité de l'épopée. Dans la société antique, l'individu était placé si bas, que, pour qu'il fût frappé, il fallait que l'adversité descendît jusque dans sa famille. Aussi ne connaissait-il guère l'infortune, hors des douleurs domestiques. Il était presque inouï que les malheurs généraux de l'État dérangeassent sa vie. Mais à l'instant où vint s'établir la société chrétienne, l'ancien continent était bouleversé. Tout était remué jusqu'à la racine. Les événements, chargés de ruiner l'ancienne Europe et d'en rebâtir une nouvelle, se heurtaient, se pré-

1. **La mélancolie :** renvoie à la théorie de Chateaubriand sur *le vague des passions*, dans *Génie du christianisme.*

cipitaient sans relâche, et poussaient les nations pêle-mêle, celles-ci au jour, celles-là dans la nuit. Il se faisait tant de bruit sur la terre, qu'il était impossible que quelque chose de ce tumulte n'arrivât pas jusqu'au cœur des peuples. Ce fut plus qu'un écho, ce fut un contrecoup. L'homme, se repliant sur lui-même en présence de ces hautes vicissitudes, commença à prendre en pitié l'humanité, à méditer sur les amères dérisions de la vie. De ce sentiment, qui avait été pour Caton[1] païen le désespoir, le christianisme fit la mélancolie.

En même temps, naissait l'esprit d'examen et de curiosité. Ces grandes catastrophes étaient aussi de grands spectacles, de frappantes péripéties. C'était le Nord se ruant sur le Midi, l'univers romain changeant de forme, les dernières convulsions de tout un monde à l'agonie. Dès que ce monde fut mort, voici que des nuées de rhéteurs[2], de grammairiens, de sophistes[3], viennent s'abattre, comme des moucherons, sur son immense cadavre. On les voit pulluler, on les entend bourdonner dans ce foyer de putréfaction. C'est à qui examinera, commentera, discutera. Chaque membre, chaque muscle, chaque fibre du grand corps gisant est retourné en tout sens. Certes, ce dut être une joie, pour ces anatomistes de la pensée, que de pouvoir, dès leur coup d'essai, faire des expériences en grand ; que d'avoir, pour premier *sujet*, une société morte à disséquer.

Ainsi, nous voyons poindre à la fois et comme se donnant la main, le génie de la mélancolie et de la méditation,

1. **Caton** : stoïcien qui se suicida (93-46 av. J.-C.).
2. **Rhéteurs** : professeurs d'éloquence enseignant l'art du discours dans l'Antiquité. Ici, terme dépréciatif.
3. **Sophistes** : qui se livrent à des raisonnements faux, dans l'intention d'induire leurs interlocuteurs en erreur.

le démon de l'analyse et de la controverse. À l'une des extrémités de cette ère de transition, est Longin[1], à l'autre saint Augustin[2]. Il faut se garder de jeter un œil dédaigneux sur cette époque où était en germe tout ce qui depuis a porté fruit, sur ce temps dont les moindres écrivains, si l'on nous passe une expression triviale, mais franche, ont fait fumier pour la moisson qui devait suivre. Le Moyen Âge est enté[3] sur le Bas-Empire[4].

Voilà donc une nouvelle religion, une société nouvelle ; sur cette double base, il faut que nous voyions grandir une nouvelle poésie. Jusqu'alors, et qu'on nous pardonne d'exposer un résultat que de lui-même le lecteur a déjà dû tirer de ce qui a été dit plus haut, jusqu'alors, agissant en cela comme le polythéisme[5] et la philosophie antique, la muse purement épique des Anciens n'avait étudié la nature que sous une seule face, rejetant sans pitié de l'art presque tout ce qui, dans le monde soumis à son imitation, ne se rapportait pas à un certain type de beau. Type d'abord magnifique, mais, comme il arrive toujours de ce qui est systématique, devenu dans les derniers temps faux, mesquin et conventionnel. Le christianisme amène la poésie à la vérité[6]. Comme lui, la muse moderne verra les choses d'un coup d'œil plus haut et plus large. Elle sentira que tout dans la création n'est pas humainement *beau*,

1. **Longin** : philosophe et rhéteur grec (213-271). Selon Hugo, « démon de l'analyse et de la controverse ».
2. **Saint Augustin** : célèbre père de l'Église latine (354-430).
3. **Enté** : greffé.
4. **Bas-Empire** : Bas-Empire romain. Hugo dit que la littérature française du Moyen Âge est tributaire de celle du Bas-Empire romain.
5. **Polythéisme** : religion fondée sur le culte de plusieurs dieux.
6. **« ... vérité »** : idée empruntée à Chateaubriand pour qui la religion chrétienne est « de toutes les religions qui ont jamais existé la plus poétique, la plus humaine, la plus favorable à la liberté, aux arts et aux lettres. » *(Génie du christianisme.)*

que le laid y existe à côté du beau, le difforme près du gracieux, le grotesque[1] au revers du sublime, le mal avec le bien, l'ombre avec la lumière. Elle se demandera si la raison étroite et relative de l'artiste doit avoir gain de cause sur la raison infinie, absolue, du créateur ; si c'est à l'homme à rectifier Dieu ; si une nature mutilée en sera plus belle ; si l'art a le droit de dédoubler, pour ainsi dire, l'homme, la vie, la création ; si chaque chose marchera mieux quand on lui aura ôté son muscle et son ressort ; si, enfin, c'est le moyen d'être harmonieux que d'être incomplet. C'est alors que, l'œil fixé sur des événements tout à la fois risibles et formidables, et sous l'influence de cet esprit de mélancolie chrétienne et de critique philosophique que nous observions tout à l'heure, la poésie fera un grand pas, un pas décisif, un pas qui, pareil à la secousse d'un tremblement de terre, changera toute la face du monde intellectuel. Elle se mettra à faire comme la nature, à mêler dans ses créations, sans pourtant les confondre, l'ombre à la lumière, le grotesque au sublime, en d'autres termes, le corps à l'âme, la bête à l'esprit ; car le point de départ de la religion est toujours le point de départ de la poésie. Tout se tient.

Ainsi voilà un principe étranger à l'Antiquité, un type nouveau introduit dans la poésie ; et, comme une condition de plus dans l'être modifie l'être tout entier, voilà une forme nouvelle qui se développe dans l'art. Ce type, c'est le grotesque. Cette forme, c'est la comédie.

Et ici, qu'il nous soit permis d'insister ; car nous venons d'indiquer le trait caractéristique, la différence fondamen-

1. Grotesque : de l'italien *grottesca*, « dessins capricieux » (semblables à ceux des grottes antiques). Ce terme désigne depuis le XVIIIe siècle tout ce qui se rattache à un comique bizarre, teinté de ridicule.

tale qui sépare, à notre avis, l'art moderne de l'art antique, la forme actuelle de la forme morte, ou, pour nous servir de mots plus vagues, mais plus accrédités, la littérature *romantique* de la littérature *classique.*

— Enfin ! vont dire les gens qui, depuis quelque temps, nous *voient venir*, nous vous tenons ! vous voilà pris sur le fait ! Donc, vous faites du *laid* un type d'imitation, du *grotesque* un élément de l'art ! Mais les grâces... mais le bon goût... Ne savez-vous pas que l'art doit rectifier la nature ? qu'il faut *l'anoblir* ? qu'il faut *choisir* ? Les Anciens ont-ils jamais mis en œuvre le laid et le grotesque ? ont-ils jamais mêlé la comédie à la tragédie ? L'exemple des Anciens, messieurs ! D'ailleurs, Aristote[1]... D'ailleurs, Boileau[2]... D'ailleurs, La Harpe[3]... — En vérité !

Ces arguments sont solides, sans doute, et surtout d'une rare nouveauté. Mais notre rôle n'est pas d'y répondre. Nous ne bâtissons pas ici de système, parce que Dieu nous garde des systèmes. Nous constatons un fait. Nous sommes historien et non critique. Que ce fait plaise ou déplaise, peu importe ! il est. — Revenons donc, et essayons de faire voir que c'est de la féconde union du type grotesque au type sublime que naît le génie moderne, si complexe, si varié dans ses formes, si inépuisable dans ses créations, et bien opposé en cela à l'uniforme simplicité du génie antique ; montrons que c'est de là qu'il faut

1. **Aristote :** philosophe grec (384-322 av. J.-C.) dont la *Poétique* a servi de fondement à la doctrine classique.
2. **Boileau :** écrivain français (1636-1711) qui présenta les règles de l'art classique dans son *Art Poétique* (1674).
3. **La Harpe :** poète et critique français (1739-1803), auteur du *Lycée ou Cours de littérature ancienne et moderne* (1799).

partir pour établir la différence radicale et réelle des deux littératures.

Ce n'est pas qu'il fût vrai de dire que la comédie et le grotesque étaient absolument inconnus des Anciens. La chose serait d'ailleurs impossible. Rien ne vient sans racine ; la seconde époque est toujours en germe dans la première. Dès l'*Iliade*, Thersite et Vulcain[1] donnent la comédie, l'un aux hommes, l'autre aux dieux. Il y a trop de nature et trop d'originalité dans la tragédie grecque, pour qu'il n'y ait pas quelquefois de la comédie. Ainsi, pour ne citer toujours que ce que notre mémoire nous rappelle, la scène de Ménélas avec la portière du palais (*Hélène*, acte I)[2], la scène du Phrygien (*Oreste*, acte IV)[3]. Les tritons[4], les satyres[5], les cyclopes[6] sont des grotesques ; les sirènes[7], les furies[8], les parques[9], les harpies[10], sont des grotesques ; Polyphème[11] est un grotesque terrible ; Silène[12] est un grotesque bouffon.

Mais on sent ici que cette partie de l'art est encore dans

1. **Thersite et Vulcain :** Thersite est un soldat achéen, laid, insolent et lâche. Ulysse le frappe d'un coup de sceptre. Vulcain est assimilé à l'Héphaïstos grec, dieu du feu et des métaux qui a la particularité de boiter.
2. **... (*Hélène*, acte I) :** v. 443-482 de la tragédie d'Euripide.
3. **... (*Oreste*, acte IV) :** v. 1506-1527 de la pièce d'Euripide.
4. **Tritons :** divinités marines.
5. **Satyres :** dieux pourvus d'une queue, de cornes et de jambes de bouc.
6. **Cyclopes :** géants caractérisés par un œil unique au milieu du front.
7. **Sirènes :** par leurs chants envoûtants, elles attiraient les navigateurs sur les écueils.
8. **Furies :** divinités infernales des Romains.
9. **Parques :** trois déesses infernales qui filaient, dévidaient et coupaient le fil des vies humaines.
10. **Harpies :** divinités funéraires.
11. **Polyphème :** l'un des cyclopes, fils de Poséidon, grotesque ici, tel qu'il apparaît dans le chant IX de l'*Odyssée*.
12. **Silène :** personnage de la légende de Dionysos, représenté sous les traits repoussants d'un vieillard jouisseur au nez camus et au ventre proéminent, toujours ivre, monté sur un âne, chantant et riant.

l'enfance. L'épopée, qui, à cette époque, imprime sa forme à tout, l'épopée pèse sur elle, et l'étouffe. Le grotesque antique est timide, et cherche toujours à se cacher. On sent qu'il n'est pas sur son terrain, parce qu'il n'est pas dans sa nature. Il se dissimule le plus qu'il peut. Les satyres, les tritons, les sirènes sont à peine difformes. Les parques, les harpies sont plutôt hideuses par leurs attributs que par leurs traits ; les furies sont belles, et on les appelle *euménides*, c'est-à-dire *douces, bienfaisantes.* Il y a un voile de grandeur ou de divinité sur d'autres grotesques. Polyphème est géant ; Midas[1] est roi ; Silène est dieu.

Aussi la comédie passe-t-elle preque inaperçue dans le grand ensemble épique de l'Antiquité. À côté des chars olympiques, qu'est-ce que la charrette de Thespis[2] ? Près des colosses homériques, Eschyle, Sophocle, Euripide, que sont Aristophane[3] et Plaute[4] ? Homère les emporte avec lui, comme Hercule emportait les Pygmées[5], cachés dans sa peau de lion.

Dans la pensée des modernes, au contraire, le grotesque a un rôle immense. Il y est partout ; d'une part, il crée le difforme et l'horrible ; de l'autre, le comique et le bouffon. Il attache autour de la religion mille superstitions originales, autour de la poésie mille imaginations pittoresques. C'est lui qui sème à pleines mains dans l'air, dans l'eau, dans la terre, dans le feu, ces myriades[6] d'êtres intermé-

1. **Midas :** roi phrygien (738-676 av. J.-C.), doté d'oreilles d'âne.
2. **Thespis :** poète grec, à qui l'on attribue la création de la tragédie (VI. s. av. J.-C.).
3. **Aristophane :** le plus grand des poètes comiques grecs (445-386 av. J.-C.).
4. **Plaute :** auteur comique latin (254-184 av. J.-C.) qui inspira notamment Molière.
5. **Pygmées :** nains mythologiques habitant l'Éthiopie. Ils attaquèrent Hercule qui les écrasa sous sa peau de lion.
6. **Myriades :** nombre très important.

diaires que nous retrouvons tout vivants dans les traditions populaires du Moyen Âge ; c'est lui qui fait tourner dans l'ombre la ronde efffrayante du sabbat[1], lui encore qui donne à Satan les cornes, les pieds de bouc, les ailes de chauve-souris. C'est lui, toujours lui, qui tantôt jette dans l'enfer chrétien ces hideuses figures qu'évoquera l'âpre génie de Dante[2] et de Milton[3], tantôt le peuple de ces formes ridicules au milieu desquelles se jouera Callot[4], le Michel-Ange[5] burlesque. Si du monde idéal il passe au monde réel, il y déroule d'intarissables parodies de l'humanité. Ce sont des créations de sa fantaisie que ces Scaramouches, ces Crispins, ces Arlequins[6], grimaçantes silhouettes de l'homme, types tout à fait inconnus à la grave Antiquité, et sortis pourtant de la classique Italie. C'est lui enfin qui, colorant tour à tour le même drame de l'imagination du Midi et de l'imagination du Nord, fait gambader Sganarelle[7] autour de don Juan[8] et ramper Méphistophélès[9] autour de Faust[10].

Et comme il est libre et franc dans son allure ! comme

---

1. **Sabbat :** assemblée de sorcières et de sorciers, présidée par le diable.
2. **Dante :** poète italien (1265-1321). Dans *La Divine Comédie*, il peint l'enfer et ses supplices.
3. **Milton :** poète anglais (1608-1674). Dans *Le Paradis perdu*, il met en scène Satan et des génies infernaux en antithèse avec Dieu et les génies célestes.
4. **Callot :** graveur français (1592-1635), peintre, dessinateur et graveur célèbre pour ses scènes satiriques et réalistes.
5. **Michel-Ange :** peintre, sculpteur, architecte et poète de la Renaissance italienne (1475-1564).
6. **Scaramouche, Crispin, Arlequin :** trois personnages types de la comédie italienne (commedia dell'arte). Il faut noter que ces personnages sont sortis de l'ancienne comédie latine et des œuvres de Plaute.
7. **Sganarelle :** dans *Dom Juan* (1665) de Molière, Sganarelle est le valet de Don Juan.
8. **Don Juan :** grand seigneur, maître de Sganarelle, dans le *Dom Juan* de Molière.
9. **Méphistophélès :** le diable dans *Faust* (publié en 1808), l'œuvre de Goethe.
10. **Faust :** contre la promesse de jouir de tous les plaisirs de la vie, il vendit son âme à Méphistophélès.

il fait hardiment saillir toutes ces formes bizarres que l'âge précédent avait si timidement enveloppées de langes ! La poésie antique, obligée de donner des compagnons au boiteux Vulcain[1], avait tâché de déguiser leur difformité en l'étendant en quelque sorte sur des proportions colossales. Le génie moderne conserve ce mythe des forgerons surnaturels, mais il lui imprime brusquement un caractère tout opposé et qui le rend bien plus frappant ; il change les géants en nains ; des cyclopes il fait les gnomes[2]. C'est avec la même originalité qu'à l'hydre[3], un peu banale, de Lerne, il substitue tous ces dragons locaux de nos légendes : la gargouille de Rouen[4], la gra-ouilli de Metz, la chairsallée de Troyes, la drée de Montlhéry, la tarasque de Tarascon[5], monstres de formes si variées et dont les noms baroques sont un caractère de plus. Toutes ces créations puisent dans leur propre nature cet accent énergique et profond devant lequel il semble que l'Antiquité ait parfois reculé. Certes, les euménides grecques[6] sont bien moins horribles, et par conséquent bien moins vraies, que les sorcières de *Macbeth*[7]. Pluton[8] n'est pas le diable.

Il y aurait, à notre avis, un livre bien nouveau à faire

1. **Vulcain** : fils de Jupiter et de Junon, dieu du Feu et du Travail des métaux.
2. **Gnomes** : esprits de la terre et des montagnes, difformes et de petite taille. Ils gardent les trésors souterrains.
3. **Hydre de Lerne** : serpent monstrueux du marais de Lerne.
4. **Gargouille de Rouen** : serpent hideux qui ravageait les régions de Rouen, selon une légende de Moyen Âge.
5. **Gra-ouilli de Metz... tarasque de Tarascon** : variantes de la gargouille ; la cathédrale des villes du Moyen Âge gardait la mémoire d'un monstre hideux représenté par une gargouille. Elle honorait par une procession annuelle, la mémoire du saint qui l'en avait délivrée.
6. **Euménides grecques** : les Érynies assoiffées de vengeance, devenues « les bienveillantes ». Référence à la tragédie d'Eschyle *Les Euménides* (458 av. J.-C.).
7. **Les sorcières de *Macbeth*** : référence au drame de Shakespeare (v. 1605).
8. **Pluton** : dieu souterrain qui règne sur les morts, symbole également de la richesse agricole.

sur l'emploi du grotesque dans les arts. On pou
trer quels puissants effets les modernes ont tirés de ce typ
fécond sur lequel une critique étroite s'acharne encore de nos jours. Nous serons peut-être tout à l'heure amenés par notre sujet à signaler en passant quelques traits de ce vaste tableau. Nous dirons seulement ici que, comme objectif auprès du sublime, comme moyen de contraste, le grotesque est, selon nous, la plus riche source que la nature puisse ouvrir à l'art. Rubens[1] le comprenait sans doute ainsi, lorsqu'il se plaisait à mêler à des déroulements de pompes royales, à des couronnements, à d'éclatantes cérémonies, quelque hideuse figure de nain de cour. Cette beauté universelle que l'Antiquité répandait solennellement sur tout n'était pas sans monotonie ; la même impression, toujours répétée, peut fatiguer à la longue. Le sublime sur le sublime produit malaisément un contraste, et l'on a besoin de se reposer de tout, même du beau. Il semble, au contraire, que le grotesque soit un temps d'arrêt, un terme de comparaison, un point de départ d'où l'on s'élève vers le beau avec une perception plus fraîche et plus excitée. La salamandre[2] fait ressortir l'ondine[3], le gnome[4] embellit le sylphe[5].

Et il serait exact aussi de dire que le contact du difforme a donné au sublime moderne quelque chose de plus pur, de plus grand, de plus sublime enfin que le beau antique ; et cela doit être. Quand l'art est conséquent avec lui-

1. **Rubens** : peintre flamand, dont l'œuvre est riche et majestueuse, fameux pour ses vastes compositions.
2. **Salamandre** : créature infernale qui peut traverser le feu sans se brûler.
3. **Ondine** : dans les cultures du Nord, esprit des eaux.
4. **Gnome** : voir note 2 p. 26.
5. **Sylphe** : dans les légendes celtes et germaniques, être intermédiaire entre le lutin et la fée, plein de grâce.

même, il mène bien plus sûrement chaque chose à sa fin. Si l'Élysée[1] homérique est fort loin de ce charme éthéré[2], de cette angélique suavité[3] du paradis de Milton[4], c'est que sous l'éden[5] il y a un enfer bien autrement horrible que le Tartare païen[6]. Croit-on que Françoise de Rimini et Béatrix[7] seraient aussi ravissantes chez un poète qui ne nous enfermerait pas dans la tour de la Faim et ne nous forcerait point à partager le repoussant repas d'Ugolin[8] ? Dante n'aurait pas tant de grâce, s'il n'avait pas tant de force. Les naïades[9] charnues, les robustes tritons[10], les zéphyrs[11] libertins ont-ils la fluidité diaphane de nos ondins[12] et de nos sylphides[13] ? N'est-ce pas parce que l'imagination moderne sait faire rôder hideusement dans nos cimetières les vampires, les ogres, les aulnes[14], les

1. **Élysée :** dans les enfers païens, lieu où séjournent les âmes des hommes qui furent vertueux.
2. **Éthéré :** aérien.
3. **Suavité :** douceur.
4. **Paradis de Milton :** voir note 3, p. 25.
5. **Éden :** dans l'Ancien Testament, paradis terrestre.
6. **Tartare païen :** dans les enfers païens, lieu où séjournent les âmes de ceux qui ont fauté durant leur vie.
7. **Francesca da Rimini et Béatrix :** personnages de *La Divine Comédie* du poète italien Dante. La première expie pour l'éternité son amour adultère pour Paolo ; la seconde est la bien-aimée du poète. Elle règne sur le Paradis et veille sur le poète.
8. **Ugolin :** personnage de *La Divine Comédie*. Ce tyran fut enfermé dans la tour de la Faim, avec ses fils et ses neveux. Selon la légende, il serait mort de faim le dernier après avoir mangé la chair des plus jeunes. Son supplice inspira Dante dans l'*Enfer*.
9. **Naïades :** chez les Grecs, divinités des Fontaines et des Rivières.
10. **Tritons :** divinités de la Mer à figure humaine et à queue de poisson.
11. **Zéphyrs :** dieux personnifiant les Vents d'Ouest.
12. **Ondin :** génie, déesse (ondine) des eaux dans la mythologie nordique.
13. **Sylphide :** génie aérien féminin très gracieux.
14. **Aulnes :** follets, dans les traditions hongroises.

psylles[1], les goules[2], les brucolaques[3], les aspioles[4], qu'elle peut donner à ses fées cette forme incorporelle, cette pureté d'essence dont approchent si peu les nymphes païennes ? La Vénus antique est belle, admirable sans doute ; mais qui a répandu sur les figures de Jean Goujon[5] cette élégance svelte, étrange, aérienne ? qui leur a donné ce caractère inconnu de vie et de grandiose, sinon le voisinage des sculptures rudes et puissantes du Moyen Âge ?

Si, au milieu de ces développements nécessaires, et qui pourraient être beaucoup plus approfondis, le fil de nos idées ne s'est pas rompu dans l'esprit du lecteur, il a compris sans doute avec quelle puissance le grotesque, ce germe de la comédie, recueilli par la muse moderne, a dû croître et grandir dès qu'il a été transporté dans un terrain plus propice que le paganisme et l'épopée. En effet, dans la poésie nouvelle, tandis que le sublime représentera l'âme telle qu'elle est, épurée par la morale chrétienne, lui jouera le rôle de la bête humaine. Le premier type, dégagé de tout alliage impur, aura en apanage tous les charmes,

1. **Psylles** : charmeurs de serpents en Inde et en Orient. Ce nom et les suivants, « goules », « aspioles » ont été rajoutés sur le manuscrit. Décrits par l'écrivain Charles Nodier dans *Smarra* (1821) : « qui sucent un venin cruel, et qui, avides de poisons, dansent en rond, en poussant des sifflements aigus pour éveiller les serpents. »
2. **Goules** : sortes de vampires femelles des légendes orientales. Chez Nodier : « pâles, impatientes, affamées [...] elles brisaient les ais des cercueils, déchiraient les vêtements sacrés [...] ; se partageaient d'affreux débris avec une plus affreuse volupté. »
3. **Brucolaques** : cadavres des excommuniés qui, chez les Grecs, sont prétendument animés par le démon.
4. **Aspioles** : décrits par Charles Nodier dans *Smarra* (1821). « Qui ont le corps si frêle, si élancé, surmonté d'une tête difforme mais riante, et qui se balancent sur les ossements de leurs jambes vides et grêles. »
5. **Jean Goujon** : sculpteur et architecte français (1510-1569). Il a notamment créé la *Fontaine des Innocents* à Paris et certaines parties décoratives du Louvre.

toutes les grâces, toutes les beautés ; il faut qu'il puisse créer un jour Juliette, Desdémona, Ophélia[1]. Le second prendra tous les ridicules, toutes les infirmités, toutes les laideurs. Dans ce partage de l'humanité et de la création, c'est à lui que reviendront les passions, les vices, les crimes ; c'est lui qui sera luxurieux, rampant, gourmand, avare, perfide, brouillon, hypocrite ; c'est lui qui sera tour à tour Iago, Tartuffe, Basile ; Polonius, Harpagon, Bartholo ; Falstaff, Scapin, Figaro[2]. Le beau n'a qu'un type ; le laid en a mille. C'est que le beau, à parler humainement, n'est que la forme considérée dans son rapport le plus simple, dans sa symétrie la plus absolue, dans son harmonie la plus intime avec notre organisation. Aussi nous offre-t-il toujours un ensemble complet, mais restreint comme nous. Ce que nous appelons le laid, au contraire, est un détail d'un grand ensemble qui nous échappe, et qui s'harmonise, non pas avec l'homme, mais avec la création tout entière. Voilà pourquoi il nous présente sans cesse des aspects nouveaux, mais incomplets.

C'est une étude curieuse que de suivre l'avènement et la marche du grotesque dans l'ère moderne. C'est d'abord une invasion, une irruption, un débordement ; c'est un torrent qui a rompu sa digue. Il traverse en naissant la littérature latine qui se meurt, y colore Perse[3], Pétrone[4],

---

1. **Juliette, Desdémona, Ophélia** : héroïnes des drames de Shakespeare *(Roméo et Juliette, Othello, Hamlet)*.
2. **Iago... Figaro** : Iago *(Othello)*, Polonus *(Hamlet)* et Falstaff *(Les Joyeuses Commères de Windsor)* sont des personnages de Shakespeare ; Tartuffe *(Tartuffe)* et Scapin *(Les Fourberies de Scapin)*, des personnages de Molière ; Basile, Bartholo et Figaro, des personnages de Beaumarchais *(Le Barbier de Séville, le Mariage de Figaro)*.
3. **Perse** : poète satirique stoïcien (34-62).
4. **Pétrone** : écrivain latin mort en 66 apr. J.-C. Auteur du *Satiricon*, roman licencieux révélateur des mœurs romaines.

Juvénal[1], et y laisse *L'Âne d'or*[2] d'Apulée. De là, il se répand dans l'imagination des peuples nouveaux qui refont l'Europe. Il abonde à flots dans les conteurs, dans les chroniqueurs, dans les romanciers. On le voit s'étendre du sud au septentrion. Il se joue dans les rêves des nations tudesques[3], et en même temps vivifie de son souffle ces admirables *romanceros*[4] espagnols, véritable *Iliade* de la chevalerie. C'est lui, par exemple, qui, dans le *Roman de la Rose*[5], peint ainsi une cérémonie auguste, l'élection d'un roi :

> Un grand vilain lors ils élurent,
> Le plus ossu qu'entr'eux ils eurent.

Il imprime surtout son caractère à cette merveilleuse architecture qui, dans le Moyen Âge, tient la place de tous les arts. Il attache son stigmate[6] au front des cathédrales, encadre ses enfers et ses purgatoires[7] sous l'ogive[8] des portails, les fait flamboyer sur les vitraux, déroule ses monstres, ses dogues[9], ses démons autour des chapiteaux, le long des frises, au bord des toits. Il s'étale sous d'innombrables formes sur la façade de bois des maisons, sur

---

1. **Juvénal** : poète et moraliste latin (60- v. 130). Ses *Satires*, qui dénoncent les mœurs de ses contemporains, constituent une référence par leur réalisme.
2. ***L'Âne d'or* d'Apulée** : *Les Métamorphoses* ou *L'Âne d'or* du poète latin Apulée (125-180), constituent un roman fantastique.
3. **Tudesques** : germaniques.
4. **Romanceros** : anciens recueils de poèmes espagnols qui chantent l'héroïsme guerrier et l'aventure amoureuse.
5. **Le *Roman de la Rose*** : texte du Moyen Âge attribué pour partie à Jean de Meung et à Guillaume de Lorris. La citation d'Hugo est légèrement inexacte.
6. **Stigmate** : marque.
7. **Purgatoires** : lieux où les justes expient leurs péchés avant d'avoir accès au paradis.
8. **Ogive** : arc.
9. **Dogues** : chiens à fortes mâchoires.

la façade de pierre des châteaux, sur la façade de marbre des palais. Des arts il passe dans les mœurs ; et tandis qu'il fait applaudir par le peuple les *graciosos*[1] de comédie, il donne aux rois les fous de cour[2]. Plus tard, dans le siècle de l'étiquette[3], il nous montrera Scarron[4] sur le bord même de la couche de Louis XIV. En attendant, c'est lui qui meuble le blason, et qui dessine sur l'écu des chevaliers ces symboliques hiéroglyphes[5] de la féodalité. Des mœurs, il pénètre dans les lois ; mille coutumes bizarres attestent son passage dans les institutions du Moyen Âge. De même qu'il avait fait bondir dans son tombereau Thespis barbouillé de lie, il danse avec la basoche[6] sur cette fameuse table de marbre qui servait tout à la fois de théâtre aux farces populaires et aux banquets royaux. Enfin, admis dans les arts, dans les mœurs, dans les lois, il entre jusque dans l'église. Nous le voyons ordonner, dans chaque ville de la catholicité, quelqu'une de ces cérémonies singulières, de ces processions étranges où la religion marche accompagnée de toutes les superstitions, le sublime environné de tous les grotesques. Pour le peindre d'un trait, telle est, à cette aurore des lettres, sa verve, sa vigueur, sa sève de création, qu'il jette du premier coup sur le seuil de la poésie moderne trois Homères

1. ***Graciosos*** : valets bouffons du théâtre espagnol, représentés dans les œuvres de Calderon et de Lope de Vega.
2. **Fous de cour** : bouffons du roi qui ont pour fonction d'amuser le souverain.
3. **Le siècle de l'étiquette** : le XVIIe siècle qui élabora une série de règles décrivant les conduites à tenir à la cour de Louis XIV.
4. **Scarron** : auteur de deux œuvres burlesques, *Le Virgile travesti* (1648-1652) et le *Roman comique* (1651-1657).
5. **Hiéroglyphes** : écriture de l'ancienne Égypte. Ici, caractères énigmatiques.
6. **Basoche** : au Moyen Âge, association des clercs du Parlement qui donnait des représentations.

bouffons : Arioste[1] en Italie ; Cervantès[2] en Espagne ; Rabelais[3] en France.

Il serait surabondant de faire ressortir davantage cette influence du grotesque dans la troisième civilisation. Tout démontre, à l'époque dite *romantique*, son alliance intime et créatrice avec le beau. Il n'y a pas jusqu'aux plus naïves légendes populaires qui n'expliquent quelquefois avec un admirable instinct ce mystère de l'art moderne. L'Antiquité n'aurait pas fait *La Belle et la Bête*[4].

Il est vrai de dire qu'à l'époque où nous venons de nous arrêter, la prédominance du grotesque sur le sublime, dans les lettres, est vivement marquée. Mais c'est une fièvre de réaction, une ardeur de nouveauté qui passe ; c'est un premier flot qui se retire peu à peu. Le type du beau reprendra bientôt son rôle et son droit, qui n'est pas d'exclure l'autre principe, mais de prévaloir sur lui. Il est temps que le grotesque se contente d'avoir un coin du tableau dans les fresques royales de Murillo[5], dans les pages sacrées de Véronèse[6], d'être mêlé aux deux admirables *Jugements derniers*[7] dont s'enorgueilliront les arts, à cette scène de ravissement et d'horreur dont Michel-Ange enrichira le

1. **Arioste** : poète italien (1474-1533), auteur du poème chevaleresque *Roland furieux*.
2. **Cervantès** : poète espagnol, auteur du roman *Don Quichotte* où apparaissent deux personnages qui symbolisent les deux aspects contrastés de l'âme espagnole (Don Quichotte et Sancho Pança).
3. **Rabelais** : écrivain français, auteur de *Pantagruel* (1532) et de *Gargantua* (1534).
4. ***La Belle et la bête*** : conte français de Marie Leprince de Beaumont (1711-1780).
5. **Murillo** : peintre espagnol (1618-1682) qui mêle dans ses œuvres la piété et le réalisme.
6. **Véronèse** : peintre italien (1528-1588). Le pittoresque caractérise sa peinture de grandes fresques et de scènes colorées.
7. ***Jugements derniers*** : celui de Michel-Ange décore la chapelle Sixtine à Rome. Quant à celui de Rubens à la cathédrale d'Anvers, il n'existe pas. Peut-être Hugo fait-il référence à *L'Érection des croix* et à *La Descente de la croix*.

Vatican, à ces effrayantes chutes d'hommes que Rubens précipitera le long des voûtes de la cathédrale d'Anvers. Le moment est venu où l'équilibre entre les deux principes va s'établir. Un homme, un poète roi, *poeta soverano*, comme Dante le dit d'Homère[1], va tout fixer. Les deux génies rivaux unissent leur double flamme, et de cette flamme jaillit Skakespeare.

Nous voici parvenus à la sommité poétique des temps modernes. Shakespeare, c'est le drame ; et le drame, qui fond sous un même souffle le grotesque et le sublime, le terrible et le bouffon, la tragédie et la comédie, le drame est le caractère propre de la troisième époque de poésie, de la littérature actuelle.

Ainsi, pour résumer rapidement les faits que nous avons observés jusqu'ici, la poésie a trois âges, dont chacun correspond à une époque de la société : l'ode, l'épopée, le drame. Les temps primitifs sont lyriques, les temps antiques sont épiques, les temps modernes sont dramatiques. L'ode chante l'éternité, l'épopée solennise l'histoire, le drame peint la vie. Le caractère de la première poésie est la naïveté, le caractère de la seconde est la simplicité, le caractère de la troisième, la vérité. Les rapsodes[2] marquent la transition des poètes lyriques aux poètes épiques, comme les romanciers des poètes épiques aux poètes dramatiques. Les historiens naissent avec la seconde époque ; les chroniqueurs et les critiques avec la troisième. Les personnages de l'ode sont des colosses : Adam, Caïn, Noé[3] ; ceux de l'épopée sont des géants :

1. **Comme Dante le dit d'Homère :** dans le chant IV de l'Enfer, dans *La Divine Comédie.*
2. **Rapsodes :** voir note 6, p. 13.
3. **Adam, Caïn, Noé :** personnages bibliques.

Achille, Atrée[1], Oreste[2] ; ceux du drame sont des hommes : Hamlet, Macbeth, Othello[3]. L'ode vit de l'idéal, l'épopée du grandiose, le drame du réel. Enfin, cette triple poésie découle de trois grandes sources : la Bible, Homère, Shakespeare.

Telles sont donc, et nous nous bornons en cela à relever un résultat, les diverses physionomies de la pensée aux différentes ères de l'homme et de la société. Voilà ses trois visages, de jeunesse, de virilité et de vieillesse. Qu'on examine une littérature en particulier, ou toutes les littératures en masse, on arrivera toujours au même fait : les poètes lyriques avant les poètes épiques, les poètes épiques avant les poètes dramatiques. En France, Malherbe[4] avant Chapelain, Chapelain avant Corneille[5], dans l'ancienne Grèce, Orphée[6] avant Homère, Homère avant Eschyle ; dans le livre primitif, la Genèse avant les Rois, les Rois avant Job[7], ou, pour reprendre cette grande échelle de toutes les poésies que nous parcourions tout à l'heure, la Bible avant l'*Iliade*, l'*Iliade* avant Shakespeare.

La société, en effet, commence par chanter ce qu'elle rêve, puis raconte ce qu'elle fait, et enfin se met à peindre ce qu'elle pense. C'est, disons-le en passant, pour cette dernière raison que le drame, unissant les qualités les plus

1. **Atrée** : roi de Mycènes. Il tua les enfants de son frère et les lui fit manger.
2. **Oreste** : il tua sa mère Clytemnestre, femme d'Agamemnon.
3. **Hamlet, Macbeth, Othello** : personnages du théâtre de Shakespeare.
4. **Malherbe** : auteur français (1555-1628), inventeur du « bon usage » de la langue.
5. **Chapelain avant Corneille** : Chapelain est un poète français (1595-1674), rédacteur des *Sentiments de l'Académie sur le Cid*. Son poème épique *La Pucelle* dont il avait annoncé le projet en 1625, ne fut publié qu'en 1656, alors que le *Cid* de Corneille date de 1636.
6. **Orphée** : dans l'Antiquité, musicien qui descendit aux Enfers pour y chercher sa femme Eurydice qui venait de mourir.
7. **La Genèse... avant Job** : trois livres de l'Ancien Testament.

opposées, peut être tout à la fois plein de profondeur et plein de relief, philosophique et pittoresque.

Il serait conséquent d'ajouter ici que tout dans la nature et dans la vie passe par ces trois phases, du lyrique, de l'épique et du dramatique, parce que tout naît, agit et meurt. S'il n'était pas ridicule de mêler les fantasques rapprochements de l'imagination aux déductions sévères du raisonnement, un poète pourrait dire que le lever du soleil, par exemple, est un hymne, son midi une éclatante épopée, son coucher un sombre drame où luttent le jour et la nuit, la vie et la mort. Mais ce serait là de la poésie, de la folie peut-être ; et *qu'est-ce que cela prouve* ?[1]

Tenons-nous-en aux faits rassemblés plus haut : complétons-les d'ailleurs par une observation importante. C'est que nous n'avons aucunement prétendu assigner aux trois époques de la poésie un domaine exclusif, mais seulement fixer leur caractère dominant. La Bible, ce divin monument lyrique, renferme, comme nous l'indiquions tout à l'heure, une épopée et un drame en germe, les Rois et Job. On sent dans tous les poèmes homériques un reste de poésie lyrique et un commencement de poésie dramatique. L'ode et le drame se croisent dans l'épopée. Il y a tout dans tout ; seulement il existe dans chaque chose un élément générateur auquel se subordonnent tous les autres, et qui impose à l'ensemble son caractère propre.

Le drame est la poésie complète. L'ode et l'épopée ne le contiennent qu'en germe ; il les contient l'une et l'autre en développement ; il les résume et les enserre toutes deux. Certes, celui qui a dit : *les Français n'ont pas la tête*

1. ***Qu'est-ce que cela prouve*** : référence à La Harpe. « On a ri mille fois de ce géomètre qui disait dans la tragédie de *Phèdre* : "Qu'est-ce que cela prouve ?" » (*Lycée*, XII, 5).

épique[1], a dit une chose juste, et fine ; si même il eût dit *les modernes*, le mot spirituel eût été un mot profond. Il est incontestable cependant qu'il y a surtout du génie épique dans cette prodigieuse *Athalie*[2], si haute et si simplement sublime que le siècle royal ne l'a pu comprendre. Il est certain encore que la série des drames chroniques de Shakespeare présente un grand aspect d'épopée. Mais c'est surtout la poésie lyrique qui sied au drame ; elle ne le gêne jamais, se plie à tous ses caprices, se joue sous toutes ses formes, tantôt sublime dans Ariel, tantôt grotesque dans Caliban[3]. Notre époque, dramatique avant tout, est par cela même éminemment lyrique. C'est qu'il y a plus d'un rapport entre le commencement et la fin ; le coucher du soleil a quelques traits de son lever ; le vieillard redevient enfant. Mais cette dernière enfance ne ressemble pas à la première ; elle est aussi triste que l'autre était joyeuse. Il en est de même de la poésie lyrique. Éblouissante, rêveuse à l'aurore des peuples, elle reparaît sombre et pensive à leur déclin. La Bible s'ouvre riante avec la Genèse, et se ferme sur la menaçante Apocalypse. L'ode moderne est toujours inspirée, mais n'est plus ignorante. Elle médite plus qu'elle ne contemple ; sa rêverie est mélancolie. On voit, à ses enfantements, que cette muse s'est accouplée au drame.

Pour rendre sensibles par une image les idées que nous venons d'aventurer, nous comparerions la poésie lyrique primitive à un lac paisible qui reflète les nuages et les étoiles du ciel ; l'épopée est le fleuve qui en découle et

1. ***Les Français n'ont pas la tête épique*** : référence à Voltaire *(Essai sur la poésie épique)* qui attribue cette phrase à M. de Malézieu consulté sur *La Henriade*.
2. ***Athalie*** : tragédie de Racine (1691).
3. **Ariel... Caliban** : personnages de *La Tempête* de Shakespeare. Ariel est l'esprit de l'Air, Caliban est un démon hideux et malfaisant.

court, en réfléchissant ses rives, forêts, campagnes et cités, se jette dans l'océan du drame. Enfin, comme le lac, le drame réfléchit le ciel ; comme le fleuve, il réfléchit ses rives ; mais seul il a des abîmes et des tempêtes.

C'est donc au drame que tout vient aboutir dans la poésie moderne. *Le Paradis perdu*[1] est un drame avant d'être une épopée. C'est, on le sait, sous la première de ces formes qu'il s'était présenté d'abord à l'imagination du poète, et qu'il reste toujours imprimé dans la mémoire du lecteur, tant l'ancienne charpente dramatique est encore saillante sous l'édifice épique de Milton ! Lorsque Dante Alighieri a terminé son redoutable *Enfer*[2], qu'il en a refermé les portes, et qu'il ne lui reste plus qu'à nommer son œuvre, l'instinct de son génie lui fait voir que ce poème multiforme est une émanation du drame, non de l'épopée ; et sur le frontispice du gigantesque monument, il écrit de sa plume de bronze : *Divina Commedia.*

On voit donc que les deux seuls poètes des temps modernes qui soient de la taille de Shakespeare se rallient à son unité. Ils concourent avec lui à empreindre de la teinte dramatique toute notre poésie ; ils sont comme lui mêlés de grotesque et de sublime ; et, loin de tirer à eux dans ce grand ensemble littéraire qui s'appuie sur Shakespeare, Dante et Milton sont en quelque sorte les deux arcs-boutants de l'édifice dont il est le pilier central, les contreforts de la voûte dont il est la clef.

1. ***Le Paradis perdu*** : œuvre de Milton. Voir note 3, p. 25.
2. ***Enfer*** : une des parties de *La Divine Comédie* de Dante.

[LA THÉORIE DU DRAME]

Qu'on nous permette de reprendre les quelques idées déjà énoncées, mais sur lesquelles il faut insister. Nous y sommes arrivé, maintenant il faut que nous en repartions.

Du jour où le christianisme a dit à l'homme[1] : « Tu es double, tu es composé de deux êtres, l'un périssable, l'autre immortel, l'un charnel, l'autre éthéré, l'un enchaîné par les appétits, les besoins et les passions, l'autre emporté sur les ailes de l'enthousiasme et de la rêverie, celui-ci enfin toujours courbé vers la terre, sa mère, celui-là sans cesse élancé vers le ciel, sa patrie » ; de ce jour le drame a été créé. Est-ce autre chose en effet que ce contraste de tous les jours, que cette lutte de tous les instants entre deux principes opposés qui sont toujours en présence dans la vie, et qui se disputent l'homme depuis le berceau jusqu'à la tombe[2] ?

La poésie née du christianisme, la poésie de notre temps est donc le drame ; le caractère du drame est le réel ; le réel résulte de la combinaison toute naturelle de deux types, le sublime et le grotesque, qui se croisent dans le drame, comme ils se croisent dans la vie et dans la création. Car la poésie vraie, la poésie complète, est dans l'harmonie des contraires. Puis, il est temps de le dire hautement, et c'est ici surtout que les exceptions confirmeraient la règle, tout ce qui est dans la nature est dans l'art.

En se plaçant à ce point de vue pour juger nos petites règles conventionnelles, pour débrouiller tous ces laby-

1. Du jour... homme : passage directement inspiré des idées de Chateaub[illegible] *(Génie du christianisme)* et de Mme de Staël *(De la littérature).*

2. ... jusqu'à la tombe : ce paragraphe a été ajouté sur le manuscrit.

rinthes scolastiques[1], pour résoudre tous ces problèmes mesquins que les critiques des deux derniers siècles ont laborieusement bâtis autour de l'art, on est frappé de la promptitude avec laquelle la question du théâtre moderne se nettoie. Le drame n'a qu'à faire un pas pour briser tous ces fils d'araignée dont les milices de Lilliput ont cru l'enchaîner dans son sommeil[2].

Ainsi, que des pédants étourdis (l'un n'exclut pas l'autre) prétendent que le difforme, le laid, le grotesque, ne doit jamais être un objet d'imitation pour l'art, on leur répond que le grotesque, c'est la comédie, et qu'apparemment la comédie fait partie de l'art. Tartuffe[3] n'est pas beau, Pourceaugnac[4] n'est pas noble ; Pourceaugnac et Tartuffe sont d'admirables jets de l'art.

Que si, chassés de ce retranchement dans leur seconde ligne de douanes[5], ils renouvellent leur prohibition[6] du grotesque allié au sublime, de la comédie fondue dans la tragédie, on leur fait voir que, dans la poésie des peuples chrétiens, le premier de ces deux types représente la bête humaine, le second l'âme. Ces deux tiges de l'art, si l'on empêche leurs rameaux de se mêler, si on les sépare systématiquement, produiront pour tous fruits, d'une part des abstractions de vices, de ridicules ; de l'autre, des abstractions de crime, d'héroïsme et de vertu. Les deux types, ainsi isolés et livrés à eux-mêmes, s'en iront chacun de leur côté, laissant entre eux le réel, l'un à sa droite, l'autre

1. **Scolastiques :** qui a rapport avec les discussions d'écoles. Ici péjoratif.
2. **« Dont les milices de Lilliput... sommeil » :** allusion à un épisode célèbre des *Voyages de Gulliver* de Swift.
3. **Tartuffe :** faux dévot, hypocrite, personnage principal de *Tartuffe* de Molière.
4. **Pourceaugnac :** personnage principal de *Monsieur de Pourceaugnac*, comédie de Molière.
5. **Douanes :** contrôles.
6. **Prohibition :** interdiction.

à sa gauche[1]. D'où il suit qu'après ces abstractions, il restera quelque chose à représenter, l'homme ; après ces tragédies et ces comédies, quelque chose à faire, le drame.

Dans le drame, tel qu'on peut, sinon l'exécuter, du moins le concevoir, tout s'enchaîne et se déduit ainsi que dans la réalité. Le corps y joue son rôle comme l'âme ; et les hommes et les événements, mis en jeu par ce double agent, passent tour à tour bouffons et terribles, quelquefois terribles et bouffons tout ensemble. Ainsi le juge dira : *À la mort, et allons dîner !*[2]. Ainsi le sénat romain délibérera sur le turbot de Domitien[3]. Ainsi Socrate, buvant la ciguë et conversant de l'âme immortelle et du dieu unique, s'interrompra pour recommander qu'on sacrifie un coq à Esculape[4]. Ainsi Élisabeth[5] jurera et parlera latin. Ainsi Richelieu subira le capucin Joseph[6] et Louis XI son barbier, maître Olivier le Diable. Ainsi Cromwell dira : *J'ai le parlement dans mon sac et le roi*

1. **L'autre à sa gauche** : dans une note inscrite en marge du manuscrit, Hugo ajoute : « D'où vient que Molière est bien plus vrai que nos tragiques ? Disons plus, d'où vient qu'il est presque toujours vrai ? C'est que, tout emprisonné qu'il est par les préjugés de son temps en deçà du pathétique et du terrible, il n'en mêle pas moins à ses grotesques des scènes d'une grande sublimité, qui complètent l'humanité dans ses drames. C'est ainsi que la comédie est bien plus près de la nature que la tragédie [...]. »
2. **À la mort, et allons dîner** : allusion au *Socrate* de Voltaire. Un juge ayant proposé de condamner tous les géomètres, un autre juge répond : « Oui, nous les pendrons à la première session. Allons dîner. »
3. **... turbot de Domitien** : Juvénal, *Satire* IV. Domitien est un empereur romain (81-96). Dans le manuscrit, cette petite phrase est rajoutée en interligne.
4. **... Esculape** : voir *Phédon*, chap. LXVI, de Platon. Le caractère « grotesque » de cette phrase est parfois contesté. En effet, soit il peut s'agir d'un vœu à accomplir (Socrate était respectueux des croyances traditionnelles), soit la phrase a un sens symbolique (Esculape, dieu de la Médecine, a guéri Socrate de la vie).
5. **Élisabeth... latin** : Élisabeth d'Angleterre. Phrase rajoutée en interligne sur le manuscrit.
6. **Joseph** : le père Joseph de Tremblay, conseiller de Richelieu, surnommé l'« éminence grise ».

dans ma poche[1] ; ou, de la main qui signe l'arrêt de mort de Charles Ier, barbouillera d'encre le visage d'un régicide que le lui rendra en riant[2]. Ainsi César dans le char de triomphe aura peur de verser[3]. Car les hommes de génie, si grands qu'ils soient, ont toujours en eux leur bête qui parodie leur intelligence. C'est par là qu'ils touchent à l'humanité, c'est par là qu'ils sont dramatiques. « Du sublime au ridicule il n'y a qu'un pas », dirait Napoléon, quand il fut convaincu d'être homme[4], et cet éclair d'une âme de feu qui s'entrouvre illumine à la fois l'art et l'histoire, ce cri d'angoisse est le résumé du drame et de la vie.

Chose frappante, tous ces contrastes se rencontrent dans les poètes eux-mêmes, pris comme hommes. À force de méditer sur l'existence, d'en faire éclater la poignante ironie, de jeter à flots le sarcasme et la raillerie sur nos infirmités, ces hommes qui nous font tant rire deviennent profondément tristes. Ces Démocrites[5] sont aussi des Héraclites[1]. Beaumarchais était morose, Molière était sombre, Shakespeare mélancolique.

C'est donc une des suprêmes beautés du drame que le grotesque. Il n'en est pas seulement une convenance, il en

1. ***J'ai le parlement... ma poche*** : dans son *Histoire de Cromwell*, Villemain raconte que Cromwell se flattait d'avoir le roi sous sa main et le Parlement dans sa poche.
2. **La main... en riant** : Charles Ier, roi d'Angleterre de 1625 à 1649, fut condamné et exécuté ce qui laissa le pouvoir aux mains de Cromwell. L'anecdote de l'encre est rapportée par Villemain.
3. **César... verser** : source incertaine. Peut-être Hugo fait-il référence à Suétone : la roue du char de César se brisa au cours de son triomphe. Mais Suétone ne dit pas que César eut peur.
4. **Quand il fut convaincu d'être homme** : référence au Mémorial de Saint-Hélène (publié en 1822) : « À présent que je suis hors de question, disait-il, que me voilà simple particulier, que je réfléchis en philosophe sur ce temps où j'avais à faire les œuvres de la Providence, sans néanmoins cesser d'être homme. »
5. **Démocrite, Héraclite** : philosophes grecs. Face aux folies des hommes, le premier professait le rire et l'optimisme, l'autre était sensible au tragique.

est souvent une nécessité. Quelquefois il arrive par masses homogènes, par caractères complets : Dandin, Prusias, Trissotin, Brid'oison, la nourrice de Juliette ; quelquefois empreint de terreur, ainsi : Richard III, Bégears, Tartuffe, Méphistophélès ; quelquefois même voilé de grâce et d'élégance, comme Figaro, Osrick, Mercutio, don Juan[1]. Il s'infiltre partout, car de même que les plus vulgaires ont maintes fois leurs accès de sublime, les plus élevés payent fréquemment tribut[2] au trivial[3] et au ridicule. Aussi, souvent insaisissable, souvent imperceptible, est-il toujours présent sur la scène, même quand il se tait, même quand il se cache[4]. Grâce à lui, point d'impressions monotones. Tantôt il jette du rire, tantôt de l'horreur dans la tragédie. Il fera rencontrer l'apothicaire à Roméo[5], les trois sorcières à Macbeth[6], les fossoyeurs à Hamlet[7]. Parfois enfin il peut sans discordance, comme dans la scène du roi Lear et de son fou[8], mêler sa voix criarde aux plus sublimes, aux plus lugubres, aux plus rêveuses musiques de l'âme.

Voilà ce qu'a su faire entre tous, d'une manière qui lui est propre et qu'il serait aussi inutile qu'impossible d'imi-

---

1. **Dandin fréquemment... Don Juan :** personnages de théâtre.
2. **Payent tribut :** contribution forcée.
3. **Trivial :** ce qui est grossier, vulgaire.
4. **Même quand il se cache :** les deux dernières phrases ont été rajoutées sur le manuscrit.
5. **L'apothicaire à Roméo :** pour se suicider après la mort supposée de Juliette, Roméo se procure du poison auprès d'un apothicaire lâche et stupide.
6. **Les trois sorcières à Macbeth :** l'ambitieux Macbeth rencontre sur la lande trois sorcières qui lui prédisent qu'il sera roi.
7. **Les fossoyeurs à Hamlet :** scène du cimetière où Hamlet discute avec les fossoyeurs. La phrase a été rajoutée en interligne.
8. **La scène du roi Lear et de son fou :** Dans *Le Roi Lear* de Shakespeare (I, x), le roi Lear chassé par ses enfants erre sur la lande, accompagné de son bouffon et d'un ami qui simule la folie. Sous l'orage qui se déchaîne, il sent la folie le terrasser.

ter, Shakespeare, ce dieu du théâtre, en qui semblent réunis, comme dans une trinité, les trois grands génies caractéristiques de notre scène : Corneille, Molière, Beaumarchais.

On voit combien l'arbitraire distinction des genres croule vite devant la raison et le goût. On ne ruinerait pas moins aisément la prétendue règle des deux unités. Nous disons deux et non *trois* unités[1], l'unité d'action ou d'ensemble, la seule vraie et fondée, étant depuis longtemps hors de cause.

Des contemporains distingués, étrangers et nationaux[2] ont déjà attaqué, et par la pratique et par la théorie, cette loi fondamentale du code pseudo-aristotélique[3]. Au reste, le combat ne devait pas être long. À la première secousse elle a craqué, tant était vermoulue cette solive de la vieille masure scolastique[4] !

Ce qu'il y a d'étrange, c'est que les routiniers prétendent appuyer leur règle des deux unités sur la vraisemblance[5], tandis que c'est précisément le réel qui la tue. Quoi de plus invraisemblable et de plus absurde en effet que ce vestibule, ce péristyle[6], cette antichambre, lieu banal où nos tragédies ont la complaisance de venir se dérouler, où

1. ***Trois* unités** : dans son *Art Poétique*, référence de l'art classique, Boileau formule la règle des unités : « Qu'en un lieu, qu'en un jour, un seul fait accompli / Tienne jusqu'à la fin le théâtre rempli. »
2. **Des contemporains... nationaux** : on pense à Schlegel et Manzoni, Mme de Staël et Stendhal.
3. **Code pseudo-aristotélique** : expression péjorative à travers laquelle Hugo accuse implicitement les classiques d'avoir perverti la poétique d'Aristote de laquelle ils se réclament.
4. **Solive de la vieille masure scolastique** : image d'une vieille maison qui s'écroule. Donne corps à l'idée d'un art classique rongé de l'intérieur par le temps.
5. **Vraisemblance** : c'est en effet au nom de la raison et de la vraisemblance que Boileau justifie la règle (*Art poétique*, III, v. 43 et 48).
6. **Péristyle** : colonnade entourant la cour intérieure d'un édifice, d'un palais.

arrivent, on ne sait comment, les conspirateurs pour déclamer contre le tyran, le tyran pour déclamer contre les conspirateurs, chacun à leur tour, comme s'ils s'étaient dit bucoliquement :

Alternis cantemus ; amant alterna Camenæ[1].

Où a-t-on vu vestibule ou péristyle de cette sorte ? Quoi de plus contraire, nous ne dirons pas à la vérité, les scolastiques en font bon marché, mais à la vraisemblance ? Il résulte de là que tout ce qui est trop caractéristique, trop intime, trop local, pour se passer dans l'antichambre ou dans le carrefour, c'est-à-dire tout le drame, se passe dans la coulisse. Nous ne voyons en quelque sorte sur le théâtre que les coudes de l'action ; ses mains sont ailleurs. Au lieu de scènes, nous avons des récits ; au lieu de tableaux, des descriptions. De graves personnages placés, comme le chœur antique, entre le drame et nous, viennent nous raconter ce qui se fait dans le temple, dans le palais, dans la place publique, de façon que souventes fois nous sommes tentés de leur crier : « Vraiment ! mais conduisez-nous donc là-bas ! On s'y doit bien amuser, cela doit être beau à voir ! » À quoi ils répondraient sans doute : « Il serait possible que cela vous amusât ou vous intéressât, mais ce n'est point là la question ; nous sommes les gardiens de la dignité de la Melpomène[2] française. » Voilà !

Mais, dira-t-on, cette règle que vous répudiez est empruntée au théâtre grec. — En quoi le théâtre et le drame grecs ressemblent-ils à notre drame et à notre

1. ***Alternis... Camenæ*** : Virgile, *Bucoliques* (III, 59). « Chantons en couplet alternés » : les muses aiment l'alternance.
2. **Melpomène** : dans la mythologie grecque, muse de la Tragédie.

théâtre ? D'ailleurs nous avons déjà fait voir que la prodigieuse étendue de la scène antique lui permettait d'embrasser une localité tout entière, de sorte que le poète pouvait, selon les besoins de l'action, la transporter à son gré d'un point du théâtre à un autre, ce qui équivaut bien à peu près aux changements de décorations. Bizarre contradiction ! le théâtre grec, tout asservi qu'il était à un but national et religieux, est bien autrement libre que le nôtre, dont le seul objet cependant est le plaisir, et, si l'on veut, l'enseignement du spectateur. C'est que l'un n'obéit qu'aux lois qui lui sont propres, tandis que l'autre s'applique des conditions d'être parfaitement étrangères à son essence. L'un est artiste, l'autre est artificiel.

On commence à comprendre de nos jours que la localité exacte est un des premiers éléments de la réalité. Les personnages parlants ou agissants ne sont pas les seuls qui gravent dans l'esprit du spectateur la fidèle empreinte des faits. Le lieu où telle catastrophe s'est passée en devient un témoin terrible et inséparable ; et l'absence de cette sorte de personnage muet décompléterait dans le drame les plus grandes scènes de l'histoire. Le poète oserait-il assassiner Rizzio[1] ailleurs que dans la chambre de Marie Stuart ? poignarder Henri IV[2] ailleurs que dans cette rue de la Ferronnerie, tout obstruée de haquets et de voitures ? brûler Jeanne d'Arc[3] autre part que dans le Vieux-

1. **Rizzio** : secrétaire italien de Marie Stuart, reine d'Écosse. Par jalousie, Henri Darnley son mari le fit tuer dans la chambre même de la reine. L'adaptation par Lebrun de la *Marie Stuart* de Schiller venait de triompher à la scène.
2. ***Henri IV*** : drame de Shakespeare (v. 1597).
3. **Jeanne d'Arc** : critique du dénouement de *La Pucelle d'Orléans* (1801) où Schiller fait mourir l'héroïne au combat, entre les bras du roi. Mme de Staël avait déjà protesté contre ce dénouement contraire à la réalité historique. *(De l'Allemagne)*

Marché ? dépêcher le duc de Guise[1] autre part que dans ce château de Blois où son ambition fait fermenter une assemblée populaire ? décapiter Charles Ier et Louis XVI[2] ailleurs que dans ces places sinistres d'où l'on peut voir WhiteHall et les Tuileries, comme si leur échafaud servait de pendant à leur palais ?

L'unité de temps n'est pas plus solide que l'unité de lieu. L'action, encadrée de force dans les vingt-quatre heures, est aussi ridicule qu'encadrée dans le vestibule. Toute action a sa durée propre comme son lieu particulier. Verser la même dose de temps à tous les événements ! appliquer la même mesure sur tout ! On rirait d'un cordonnier qui voudrait mettre le même soulier à tous les pieds. Croiser l'unité de temps à l'unité de lieu comme les barreaux d'une cage, et y faire pédantesquement entrer, de par Aristote, tous ces faits, tous ces peuples, toutes ces figures que la providence déroule à si grandes masses dans la réalité ! c'est mutiler hommes et choses, c'est faire grimacer l'histoire. Disons mieux : tout cela mourra dans l'opération ; et c'est ainsi que les mutilateurs dogmatiques arrivent à leur résultat ordinaire : ce qui était vivant dans la chronique est mort dans la tragégie. Voilà pourquoi, bien souvent, la cage des unités ne renferme qu'un squelette.

Et puis si vingt-quatre heures peuvent être comprises dans deux, il sera logique que quatre heures puissent en contenir quarante-huit. L'unité de Shakespeare ne sera donc pas l'unité de Corneille. Pitié !

---

1. **Duc de guise :** allusion aux *États de Blois*, de Louis Vitet, auxquels la presse venait de consacrer plusieurs articles.
2. **Charles Ier et Louis XVI :** Charles Ier fut conduit à l'échafaud de Whitehall, ancien palais construit par Henry VIII. Le sujet de Louis XVI n'a pas été traité par les romantiques, mais Hugo y songeait à cette époque.

Ce sont là pourtant les pauvres chicanes que depuis deux siècles la médiocrité, l'envie et la routine font au génie ! C'est ainsi qu'on a borné l'essor de nos plus grands poètes. C'est avec les ciseaux des unités qu'on leur a coupé l'aile. Et que nous a-t-on donné en échange de ces plumes d'aigle retranchées à Corneille et à Racine ? Campistron[1].

Nous concevons qu'on pourrait dire : — Il y a dans des changements trop fréquents de décoration quelque chose qui embrouille et fatigue le spectateur, et qui produit sur son attention l'effet de l'éblouissement ; il peut aussi se faire que des translations[2] multipliées d'un lieu à un autre lieu, d'un temps à un autre temps, exigent des contre-expositions qui le refroidissent ; il faut craindre encore de laisser dans le milieu d'une action des lacunes qui empêchent les parties du drame d'adhérer étroitement entre elles, et qui en outre déconcertent le spectateur parce qu'il ne se rend pas compte de ce qu'il peut y avoir dans ces vides... — Mais ce sont là précisément les difficultés de l'art. Ce sont là de ces obstacles propres à tels ou tels sujets, et sur lesquels on en saurait statuer une fois pour toutes. C'est au génie à les résoudre, non aux *poétiques*[3] à les éluder.

Il suffirait enfin, pour démontrer l'absurdité de la règle des deux unités, d'une dernière raison, prise dans les entrailles de l'art. C'est l'existence de la troisième unité, l'unité d'action, la seule admise de tous parce qu'elle résulte d'un fait : l'œil ni l'esprit humain ne sauraient saisir plus d'un ensemble à la fois. Celle-là est aussi néces-

1. **Campistron** : auteur dramatique médiocre (1656-1723) qui se posa comme le disciple de Racine.
2. **Translations** : déplacements.
3. ***Poétiques*** : théories qui présentent les règles d'un art d'écrire.

saire que les deux autres sont inutiles. C'est elle qui marque le point de vue du drame ; or, par cela même, elle exclut les deux autres. Il ne peut pas plus y avoir trois unités dans le drame que trois horizons dans un tableau. Du reste, gardons-nous de confondre l'unité avec la simplicité d'action. L'unité d'ensemble ne répudie en aucune façon les actions secondaires sur lesquelles doit s'appuyer l'action principale. Il faut seulement que ces parties, savamment subordonnées au tout, gravitent sans cesse vers l'action centrale et se groupent autour d'elle aux différents étages ou plutôt sur les divers plans du drame. L'unité d'ensemble est la loi de perspective du théâtre.

Mais, s'écrieront les douaniers de la pensée, de grands génies les ont pourtant subies, ces règles que vous rejetez ! — Eh oui, malheureusement ! Qu'auraient-ils donc fait, ces admirables hommes, si l'on les eût laissés faire ? Ils n'ont pas du moins accepté vos fers sans combat. Il faut voir comme Pierre Corneille, harcelé à son début pour sa merveille du *Cid*, se débat sous Mairet, Claveret, d'Aubignac et Scudéry[1] ! comme il dénonce à la postérité les violences de ces hommes qui, dit-il, se font *tout blancs d'Aristote*[2] ! Il faut voir comme on lui dit, et nous citons des textes du temps : « Ieune homme, il faut apprendre avant que d'enseigner, et à moins que d'être vn Scaliger[3]

1. **Mairet, Claveret, d'Aubignac et Scudéry** : allusion à la fameuse Querelle du *Cid* (1636) où il fut reproché à Corneille de n'avoir pas respecté les règles de la tragédie. Les poètes et critiques ici énumérés prirent une part active à la polémique.
2. ***Tout blancs d'Aristote*** : se reporter à la *Lettre apologétique du sieur Corneille, contenant sa réponse aux « Observations » faites par le sieur Scudéry sur* « Le Cid ».
3. **Scaliger** : humaniste italien qui propose dans sa *Poétique* (1561) les premières fondations de la doctrine classique.

ou vn Heinsius[1], cela n'est pas supportable ! » Là-dessus Corneille se révolte et demande si c'est donc qu'on veut le faire descendre, « beaucoup au dessovbs de Claueret[2] ! » Ici Scudéry s'indigne de tant d'orgueil et rappelle à « ce trois fois grand avthevr du Cid... les modestes paroles par où le Tasse, le plus grand homme de son siècle, a commencé l'apologie du plus beau de ses ouurages, contre la plus aigre et la plus iniuste Censure, qu'on fera peut-être iamais. M. Corneille, ajoute-t-il, tesmoigne bien en ses Responses qu'il est aussi loing de la modération que du mérite de cet excellent avthevr[3]. » Le *jeune homme* si *justement* et si *doucement censuré* ose résister ; alors Scudéry revient à la charge ; il appelle à son secours l'*Académie Éminente* : « Prononcez, O MES IVGES, un arrest digne de vous, et qui face sçavoir à toute l'Europe que le Cid n'est point le chef-d'œuure du plus grand homme de Frâce, mais ouy bien la moins iudicieuse pièce de M. Corneille mesme. Vous le deuez, et pour vostre gloire en particulier, et pour celle de nostre nation en général, qui s'y trouue intéressée : veu que les estrangers qui pourroient voir ce beau chef-d'œuure, eux qui ont eu des Tassos et des Guarinis[4], croyroient que nos plus grands maistres ne sont que des apprentifs. » Il y a dans ce peu de lignes instructives toute la tactique éternelle de la routine envieuse contre le talent naissant, celle

1. **Heinsius** : humaniste hollandais (1580-1655) qui édita de nombreux textes anciens.
2. **Claueret** : ou Claveret, juriste et écrivain français, ami puis ennemi de Corneille.
3. **Avthevr** : pour « auteur ». Hugo avait d'abord adopté l'orthographe courante puis il a rétabli celle du XVIIe siècle.
4. **Tassos et des Guarinis** : le Tasse (1544-1595) et Guarini (1538-1612), grands poètes italiens. Le second est l'auteur d'une tragi-comédie pastorale célèbre, *Le Berger fidèle*.

qui se suit encore de nos jours, et qui a attaché, par exemple, une si curieuse page aux jeunes essais de lord Byron[1]. Scudéry nous la donne en quintessence. Ainsi, les précédents ouvrages d'un homme de génie toujours préférés aux nouveaux, afin de prouver qu'il descend au lieu de monter, *Mélite* et *La Galerie du Palais*[2] mis au-dessus du *Cid* ; puis les noms de ceux qui sont morts toujours jetés à la tête de ceux qui vivent : Corneille lapidé avec Tasso et Guarini (Guarini !), comme plus tard on lapidera Racine avec Corneille, Voltaire avec Racine, comme on lapide aujourd'hui tout ce qui s'élève avec Corneille, Racine et Voltaire. La tactique, comme on voit, est usée, mais il faut qu'elle soit bonne, puisqu'elle sert toujours. Cependant le pauvre diable de grand homme soufflait encore[3]. C'est ici qu'il faut admirer comme Scudéry, le capitan de cette tragi-comédie, poussé à bout, le rudoie et le malmène, comme il démasque sans pitié son artillerie classique, comme il « fait voir » à l'auteur du *Cid* « quels doiuent estre les épisodes, d'après Aristote, qui l'enseigne aux chapitres dixiesme et seiziesme de sa Poétique », comme il foudroie Corneille, de par ce même Aristote « au chapitre vnziesme de son Art Poétique, dans lequel on voit la condamnation du *Cid* » ; de par Platon « liure dixiesme de sa République », de par Marcelin, « au liure vingt-septiesme ; on le peut voir » ; de par « les tragédies de Niobé et de Jephté » ; de par « l'Ajax de Sophocle » ; de par « l'exemple d'Euripide » ; de par « Heinsius, au chapitre VI, Constitution de la Tragédie ; et Scaliger le fils

1. **Lord Byron :** allusion à un article de *La Revue d'Edimbourg.*
2. ***Mélite* et *La Galerie du Palais* :** deux comédies de Corneille à ses débuts (1629 et 1633).
3. **Soufflait encore :** passage ajouté en marge du manuscrit, à partir de « le jeune homme si justement... »

dans ses poésies » ; enfin, de par « les Canonistes et les Iurisconsultes, au titre des Nopces[1] ». Les premiers arguments s'adressaient à l'académie, le dernier allait au Cardinal[2]. Après les coups d'épingle, le coup de massue. Il fallut un juge pour trancher la question. Chapelain décida. Corneille se vit donc condamné, le lion fut muselé ou, pour dire comme alors, la *corneille* fut *déplumée*[3]. Voici maintenant le côté douloureux de ce drame grotesque : c'est après avoir été ainsi rompu dès son premier jet, que ce génie, tout moderne, tout nourri du Moyen Âge et de l'Espagne, forcé de mentir à lui-même et de se jeter dans l'Antiquité, nous donna cette Rome castillane, sublime sans contredit, mais où, excepté peut-être dans le *Nicomède*[4] si moqué du dernier siècle pour sa fière et naïve couleur, on ne retrouve ni la Rome véritable, ni le vrai Corneille.

Racine éprouva les mêmes dégoûts, sans faire d'ailleurs la même résistance. Il n'avait, ni dans le génie ni dans le caractère, l'âpreté hautaine de Corneille. Il plia en silence, et abandonna aux dédains de son temps sa ravissante élégie[5] d'*Esther*[6], sa magnifique épopée d'*Athalie*[7]. Aussi on doit croire que, s'il n'eût pas été paralysé comme il l'était par les préjugés de son siècle, s'il eût été moins sou-

1. **Des Nopces** : toutes ces citations sont empruntées à Scudéry.
2. **Cardinal** : Richelieu.
3. **La *corneille* fut *déplumée*** : les huit derniers mots sont ajoutés en marge du manuscrit. Allusion aux *Stances* de Mairet qui prête à Guillèn de Castro, dont s'inspira Corneille pour *Le Cid*, les paroles suivantes : « Ingrat, rends-moi mon Cid jusque au dernier mot / Après tu connaîtras, Corneille déplumée / Que l'esprit le plus vain et souvent le plus sot, / Et qu'enfin tu me dois toute ta renommée. »
4. ***Nicomède*** : tragédie de Corneille (1651).
5. **Élégie** : poème lyrique.
6. ***Esther*** : tragédie de Racine (1689).
7. ***Athalie*** : voir note 2, p. 37.

vent touché par la torpille classique, il n'eût point manqué de jeter Locuste[1] dans son drame entre Narcisse et Néron, et surtout n'eût pas relégué dans la coulisse cette admirable scène du banquet où l'élève de Sénèque[2] empoisonne Britannicus dans la coupe de la réconciliation. Mais peut-on exiger de l'oiseau qu'il vole sous le récipient pneumatique ? Que de beautés pourtant nous coûtent les *gens de goût*, depuis Scudéry jusqu'à La Harpe ! on composerait une bien belle œuvre de tout ce que leur souffle aride a séché dans son germe. Du reste, nos grands poètes ont encore su faire jaillir leur génie à travers toutes ces gênes. C'est souvent en vain qu'on a voulu les murer dans les dogmes et dans les règles. Comme le géant hébreu[3], ils ont emporté avec eux sur la montagne les portes de leur prison.

On répète néanmoins, et quelque temps encore sans doute on ira répétant : — Suivez les règles ! Imitez les modèles ! Ce sont les règles qui ont formé les modèles ! — Un moment ! Il y a en ce cas deux espèces de modèles, ceux qui se sont faits d'après les règles, et, avant eux, ceux d'après lesquels on a fait les règles. Or dans laquelle de ces deux catégories le génie doit-il se chercher une place ? Quoiqu'il soit toujours dur d'être en contact avec les pédants, ne vaut-il pas mille fois mieux leur donner des leçons qu'en recevoir d'eux ? Et puis, imiter ? Le reflet vaut-il la lumière ? le satellite qui se traîne sans cesse dans

1. **Locuste :** empoisonneuse romaine. Au service d'Agrippine puis de Néron, elle supprima Claude puis Britannicus.
2. **Sénèque :** philosophe latin (4 av. J.-C.-65 apr. J.-C.) qui fut l'un des précepteurs de Brutus.
3. **Comme le géant hébreu :** phrase ajoutée en marge du manuscrit. Allusion à un exploit de Samson.

le même cercle vaut-il l'astre central et générateur ? Avec toute sa poésie, Virgile n'est que la lune d'Homère[1].

Et voyons : qui imiter ? — Les Anciens ? Nous venons de prouver que leur théâtre n'a aucune coïncidence avec le nôtre. D'ailleurs, Voltaire[2], qui ne veut pas de Shakespeare, ne veut pas des Grecs non plus. Il va nous dire pourquoi : « Les Grecs ont hasardé des spectacles non moins révoltants pour nous. Hippolyte, brisé par sa chute, vient compter ses blessures et pousser des cris douloureux. Philoctète tombe dans ses accès de souffrance ; un sang noir coule de sa plaie. Œdipe, couvert du sang qui dégoutte encore du reste de ses yeux qu'il vient d'arracher, se plaint des dieux et des hommes. On entend les cris de Clytemnestre que son propre fils égorge, et Électre crie sur le théâtre : “Frappez, ne l'épargnez pas, elle n'a pas épargné notre père.” Prométhée[3] est attaché sur un rocher avec des clous qu'on lui enfonce dans l'estomac et dans les bras. Les Furies[4] répondent à l'ombre sanglante de Clytemnestre par des hurlements sans aucune articulation… L'art était dans son enfance du temps d'Eschyle comme à Londres du temps de Shakespeare. » — Les modernes ? Ah ! imiter des imitations ! Grâce[5] !

— *Mà*[6], nous objectera-t-on encore, à la manière dont vous concevez l'art, vous paraissez n'attendre que de grands poètes, toujours compter sur le génie ? — L'art ne

1. **Virgile n'est que la lune d'Homère :** Nodier avait déjà écrit *(Mélanges)* : « On est porté à croire que si Homère n'avait point existé, il serait possible que Virgile n'eût point écrit. »
2. **Voltaire :** après avoir contribué à faire connaître et admirer Shakespeare *(Lettres philosophiques)*, Voltaire accusa son théâtre de mauvais goût.
3. **Hippolyte... Prométhée :** personnages de tragédies.
4. **Furies :** voir note 8, p. 23.
5. **... Grâce :** paragraphe ajouté en marge du manuscrit.
6. ***Mà* :** « mais », en italien.

compte pas sur la médiocrité. Il ne lui prescrit rien, il ne la connaît point, elle n'existe point pour lui ; l'art donne des ailes et non des béquilles. Hélas ! d'Aubignac[1] a suivi les règles, Campistron[2] a imité les modèles. Que lui importe ! Il ne bâtit point son palais pour les fourmis. Il les laisse faire leur fourmilière, sans savoir si elles viendront appuyer sur sa base cette parodie de son édifice.

Les critiques de l'école scolastique placent leurs poètes dans une singulière position. D'une part, ils leur crient sans cesse : « Imitez les modèles ! » De l'autre, ils ont coutume de proclamer que « les modèles sont inimitables » ! Or, si leurs ouvriers, à force de labeur, parviennent à faire passer dans ce défilé quelque pâle contre-épreuve, quelque calque décoloré des maîtres, ces ingrats, à l'examen du *refaccimiento*[3] nouveau, s'écrient tantôt : « Cela ne ressemble à rien ! » tantôt : « Cela ressemble à tout ! » Et, par une logique faite exprès, chacune de ces deux formules est une critique.

Disons-le donc hardiment. Le temps en est venu, et il serait étrange qu'à cette époque, la liberté, comme la lumière, pénétrât partout, excepté dans ce qu'il y a de plus nativement libre au monde, les choses de la pensée. Mettons le marteau dans les théories, les poétiques et les systèmes. Jetons bas ce vieux plâtrage qui masque la façade de l'art ! Il n'y a ni règles, ni modèles ; ou plutôt il n'y a d'autres règles que les lois générales de la nature qui planent sur l'art tout entier, et les lois spéciales qui, pour chaque composition, résultent des conditions d'existence propres à chaque sujet. Les unes sont éternelles, inté-

1. **D'Aubignac :** voir note 1, p. 49.
2. **Campistron :** voir note 1, p. 48.
3. ***Refaccimiento* :** « refonte, restauration » en italien.

rieures, et restent ; les autres variables, extérieures, et ne servent qu'une fois. Les premières sont la charpente qui soutient la maison ; les secondes l'échafaudage qui sert à la bâtir et qu'on refait à chaque édifice. Celles-ci enfin sont l'ossement, celles-là le vêtement du drame. Du reste, ces règles-là ne s'écrivent pas dans les poétiques. Richelet[1] ne s'en doute pas. Le génie, qui devine plutôt qu'il n'apprend, extrait, pour chaque ouvrage, les premières de l'ordre général des choses, les secondes de l'ensemble isolé du sujet qu'il traite ; non pas à la façon du chimiste qui allume son fourneau, souffle son feu, chauffe son creuset, analyse et détruit ; mais à la manière de l'abeille, qui vole sur ses ailes d'or, se pose sur chaque fleur, et en tire son miel, sans que le calice perde rien de son éclat, la corolle rien de son parfum.

Le poète, insistons sur ce point, ne doit donc prendre conseil que de la nature, de la vérité, et de l'inspiration qui est aussi une vérité et une nature. *Quando he*, dit Lope de Vega[2].

Quando he de escrivir una comedia,
Encierro los preceptos con seis llaves.

Pour enfermer les préceptes, en effet, ce n'est pas trop de *six clefs*. Que le poète se garde surtout de copier qui que ce soit, pas plus Shakespeare que Molière, pas plus

1. **Richelet** : lexicographe classique (1626-1698), auteur d'un *Dictionnaire français* (1680).
2. ***Quando he*, dit Lope de Vega** : dans son *Nouvel art de faire des comédies* (1609), le poète espagnol écrit : « Lorsque je dois faire une comédie / J'enferme les préceptes avec six clefs. »

Schiller que Corneille[1]. Si le vrai talent pouvait abdiquer à ce point sa propre nature, et laisser ainsi de côté son originalité personnelle, pour se transformer en autrui, il perdrait tout à jouer ce rôle de Sosie[2]. C'est le dieu qui se fait valet. Il faut puiser aux sources primitives. C'est la même sève, répandue dans le sol, qui produit tous les arbres de la forêt, si divers de port, de fruits, de feuillage. C'est la même nature qui féconde et nourrit les génies les plus différents. Le vrai poète est un arbre qui peut être battu de tous les vents et abreuvé de toutes les rosées, qui porte ses ouvrages comme ses fruits, comme le *fablier*[3] portait ses fables. À quoi bon s'attacher à un maître ? se greffer sur un modèle ? Il vaut mieux encore être ronce ou chardon, nourri de la même terre que le cèdre et le palmier, que d'être le fungus ou le lichen de ces grands arbres. La ronce vit, le fungus végète. D'ailleurs, quelque grands qu'ils soient, ce cèdre et ce palmier, ce n'est pas avec le suc qu'on en tire qu'on peut devenir grand soi-même. Le parasite d'un géant sera tout au plus un nain. Le chêne, tout colosse qu'il est, ne peut produire et nourrir que le gui.

Qu'on ne s'y méprenne pas, si quelques-uns de nos poètes ont pu être grands, même en imitant, c'est que, tout en se modelant sur la forme antique, ils ont souvent encore écouté la nature et leur génie, c'est qu'ils ont été eux-mêmes par un côté. Leurs rameaux se cramponnaient

1. Que le poète... Corneille : Hugo reprend à son compte l'opinion de Stendhal dans *Racine et Shakespeare*.
2. Sosie : personnage de l'*Amphitryon* de Plaute, puis de Molière. Sa stupéfaction devant Mercure qui a revêtu son apparence, le fait douter.
3. *Fablier* : allusion à La Fontaine, à propos de qui Mme de Bouillon disait qu'il était un *fablier*, parce que « ses fables naissaient d'elles-mêmes dans son cerveau, et s'y trouvaient faites sans méditation de sa part, ainsi que les pommes sur le pommier ».

à l'arbre voisin, mais leur racine plongeait dans le sol de l'art. Ils étaient le lierre, et non le gui. Puis sont venus les imitateurs en sous-ordre, qui n'ayant ni racine en terre, ni génie dans l'âme, ont dû se borner à l'imitation. Comme dit Charles Nodier, *après l'école d'Athènes, l'école d'Alexandrie*[1]. Alors la médiocrité a fait déluge ; alors ont pullulé ces poétiques, si gênantes pour le talent, si commodes pour elle. On a dit que tout était fait, on a défendu à Dieu de créer d'autres Molières, d'autres Corneilles. On a mis la mémoire à la place de l'imagination. La chose même a été réglée souverainement : il y a des aphorismes pour cela. « *Imaginer*, dit La Harpe[2] avec son assurance naïve, ce n'est au fond que *se ressouvenir.* »

La nature donc ! La nature et la vérité. — Et ici, afin de montrer que, loin de démolir l'art, les idées nouvelles ne veulent que le reconstruire plus solide et mieux fondé, essayons d'indiquer quelle est la limite infranchissable qui, à notre avis, sépare la réalité selon l'art de la réalité selon la nature. Il y a étourderie à les confondre, comme le font quelques partisans peu avancés du *romantisme.* La vérité de l'art ne saurait jamais être, ainsi que l'ont dit plusieurs, la réalité *absolue*[3]. L'art ne peut donner la chose même. Supposons en effet un de ces promoteurs irréfléchis de la nature absolue, de la nature vue hors de l'art, à la représentation d'une pièce romantique, du *Cid*, par exemple. — Qu'est cela ? dira-t-il au premier mot. Le Cid parle en

1. **Comme dit Charles Nodier...** ***d'Alexandrie*** : phrase rajoutée sur le manuscrit. Hugo fait référence à un passage de Nodier *(Questions de littérature légale)* : « ainsi... s'anéantit le génie des muses grecques dans l'école d'Alexandrie. »
2. **La Harpe** : voir note 3, p. 22.
3. **La réalité** ***absolue*** : voir Mme de Staël, *De l'Allemagne* (III, 15) : « ce qu'on appelle l'illusion, ce n'est pas s'imaginer que ce que l'on voit existe véritablement : une tragédie ne peut nous paraître vraie que par l'émotion qu'elle nous cause. »

vers ! Il n'est pas *naturel* de parler en vers. — Comment voulez-vous donc qu'il parle ? — En prose. — Soit. — Un instant après : — Quoi, reprendra-t-il s'il est conséquent, le Cid parle français ! — Eh bien ? — La *nature* veut qu'il parle sa langue, il ne peut parler qu'espagnol. — Nous n'y comprendrons rien ; mais soit encore. — Vous croyez que c'est tout ? Non pas ; avant la dixième phrase castillane, il doit se lever et demander si le Cid qui parle est le véritable Cid, en chair et en os ? De quel droit cet acteur, qui s'appelle Pierre ou Jacques, prend-il le nom de Cid ? Cela est *faux*. — Il n'y a aucune raison pour qu'il n'exige pas ensuite qu'on substitue le soleil à cette rampe, des arbres *réels*, des maisons *réelles* à ces menteuses coulisses. Car, une fois dans cette voie, la logique nous tient au collet, on ne peut plus s'arrêter.

On doit donc reconnaître, sous peine de l'absurde, que le domaine de l'art et celui de la nature sont parfaitement distincts. La nature et l'art sont deux choses, sans quoi l'une ou l'autre n'existerait pas. L'art, outre sa partie idéale, a une partie terrestre et positive. Quoi qu'il fasse, il est encadré entre la grammaire et la prosodie, entre Vaugelas[1] et Richelet[2]. Il a, pour ses créations les plus capricieuses, des formes, des moyens d'exécution, tout un matériel à remuer. Pour le génie, ce sont des instruments ; pour la médiocrité, des outils.

D'autres, ce nous semble, l'ont déjà dit : le drame est un miroir où se réfléchit la nature. Mais si ce miroir est un miroir ordinaire, une surface plane et unie, il ne renverra des objets qu'une image terne et sans relief, fidèle,

1. **Vaugelas :** célèbre grammairien du XVIIe siècle, l'un des premiers membres de l'Académie française, auteur des *Remarques sur la langue française*.
2. **Richelet :** voir note 1, p. 56.

mais décolorée ; on sait ce que la couleur et la lumière perdent à la réflexion simple. Il faut donc que le drame soit un miroir de concentration qui, loin de les affaiblir, ramasse et condense les rayons colorants, qui fasse d'une lueur une lumière, d'une lumière une flamme. Alors seulement le drame est avoué de l'art[1].

Le théâtre est un point d'optique. Tout ce qui existe dans le monde, dans l'histoire, dans la vie, dans l'homme, tout doit et peut s'y réfléchir, mais sous la baguette magique de l'art. L'art feuillette les siècles, feuillette la nature, interroge les chroniques, s'étudie à reproduire la réalité des faits, surtout celle des mœurs et des caractères, bien moins léguée au doute et à la contradiction que les faits, restaure ce que les annalistes ont tronqué, harmonise ce qu'ils ont dépareillé, devine leurs omissions et les répare, comble leurs lacunes par des imaginations qui aient la couleur du temps, groupe ce qu'ils ont laissé épars, rétablit le jeu des fils de la providence sous les marionnettes humaines, revêt le tout d'une forme poétique et naturelle à la fois, et lui donne cette vie de vérité et de saillie qui enfante l'illusion, ce prestige de réalité qui passionne le spectateur, et le poète le premier, car le poète est de bonne foi. Ainsi le but de l'art est presque divin : ressusciter, s'il fait de l'histoire ; créer, s'il fait de la poésie.

C'est une grande et belle chose que de voir se déployer avec cette largeur un drame où l'art développe puissamment la nature ; un drame où l'action marche à la conclusion d'une allure ferme et facile, sans diffusion et sans étranglement ; un drame enfin où le poète remplisse pleinement le but multiple de l'art, qui est d'ouvrir au spec-

1. **Est avoué de l'art :** est reconnu comme de l'art.

tateur un double horizon, d'illuminer à la fois l'intérieur et l'extérieur des hommes ; l'extérieur, par leurs discours et leurs actions ; l'intérieur, par les *a parte* et les monologues ; de croiser, en un mot, dans le même tableau, le drame de la vie et le drame de la conscience.

On conçoit que, pour une œuvre de ce genre, si le poète doit *choisir* dans les choses (et il le doit), ce n'est pas le *beau*, mais le *caractéristique*. Non qu'il convienne de *faire*, comme on dit aujourd'hui, *de la couleur locale*[1], c'est-à-dire d'ajouter après coup quelques touches criardes çà et là sur un ensemble du reste parfaitement faux et conventionnel. Ce n'est point à la surface du drame que doit être la couleur locale, mais au fond, dans le cœur même de l'œuvre, d'où elle se répand au dehors, d'elle-même, naturellement, également, et, pour ainsi parler, dans tous les coins du drame, comme la sève qui monte de la racine à la dernière feuille de l'arbre. Le drame doit être radicalement imprégné de cette couleur des temps ; elle doit en quelque sorte y être dans l'air, de façon qu'on ne s'aperçoive qu'en y entrant et qu'en en sortant qu'on a changé de siècle et d'atmosphère. Il faut quelque étude, quelque labeur pour en venir là ; tant mieux. Il est bon que les avenues de l'art soient obstruées de ces ronces devant lesquelles tout recule, excepté les volontés fortes. C'est d'ailleurs cette étude, soutenue d'une ardente inspiration, qui garantira le drame d'un vice qui le tue, le *commun*[2]. Le commun est le défaut des poètes à courte vue et à courte haleine. Il faut qu'à cette optique de la

1. ***Couleur locale*** : empruntée au vocabulaire de la peinture, cette expression est largement utilisée par les romantiques. Elle désigne la couleur des époques passées et des pays étrangers.
2. Le ***commun*** : ici, la platitude, à ne pas confondre avec « le vulgaire » qui désigne ce qui est grossier et populaire.

scène, toute figure soit ramenée à son trait le plus saillant, le plus individuel, le plus précis. Le vulgaire et le trivial même doit avoir un accent. Rien ne doit être abandonné. Comme Dieu, le vrai poète est présent partout à la fois dans son œuvre. Le génie ressemble au balancier qui imprime l'effigie royale aux pièces de cuivre comme aux écus d'or.

Nous n'hésitons pas, et ceci prouverait encore aux hommes de bonne foi, combien peu nous cherchons à déformer l'art, nous n'hésitons point à considérer le vers comme un des moyens les plus propres à préserver le drame du fléau que nous venons de signaler, comme une des digues les plus puissantes contre l'irruption du *commun*, qui, ainsi que la démocratie, coule toujours à pleins bords[1] dans les esprits. Et ici, que la jeune littérature, déjà riche de tant d'hommes et de tant d'ouvrages, nous permette de lui indiquer une erreur où il nous semble qu'elle est tombée, erreur trop justifiée d'ailleurs par les incroyables aberrations de la vieille école. Le nouveau siècle est dans cet âge de croissance où l'on peut aisément se redresser.

Il s'est formé, dans les derniers temps, comme une pénultième[2] ramification du vieux tronc classique, ou mieux comme une de ces excroissances, un de ces polypes[3] que développe la décrépitude et qui sont bien plus un signe de décomposition qu'une preuve de vie, il s'est formé une singulière école de poésie dramatique. Cette école nous semble avoir eu pour maître et pour

1. **À plein bords :** image empruntée à Royer-Collard (« Discours sur la presse », 22 janvier 1822).
2. **Pénultième :** avant-dernière.
3. **Polypes :** excroissances.

souche le poète qui marque la transition du dix-huitième siècle au dix-neuvième, l'homme de la description et de la périphrase, ce Delille[1] qui, dit-on, vers sa fin, se vantait, à la manière des dénombrements d'Homère, d'avoir *fait* douze chameaux, quatre chiens, trois chevaux, y compris celui de Job[2], six tigres, deux chats, un jeu d'échecs, un trictrac, un damier, un billard, plusieurs hivers, beaucoup d'étés, force printemps, cinquante couchers de soleil, et tant d'aurores qu'il se perdait à les compter.

Or Delille a passé dans la tragédie. Il est le père (lui, et non Racine, grand Dieu !) d'une prétendue école d'élégance et de bon goût qui a fleuri récemment. La tragédie n'est pas pour cette école ce qu'elle est pour le bonhomme Gilles Shakespeare, par exemple, une source d'émotion de toute nature ; mais un cadre commode à la solution d'une foule de petits problèmes descriptifs qu'elle se propose chemin faisant. Cette muse, loin de repousser, comme la véritable école classique française, les trivialités et les bassesses de la vie, les recherche au contraire et les ramasse avidement. Le grotesque, évité comme mauvaise compagnie par la tragédie de Louis XIV, ne peut passer tranquille devant celle-ci. *Il faut qu'il soit décrit !* c'est-à-dire *anobli*. Une scène de corps de garde, une révolte de populace, le marché aux poissons, le bagne, le cabaret, la *poule au pot* de Henri IV[3], sont une bonne fortune pour elle.

1. **Delille** : poète français (1738-1813), auteur de poèmes descriptifs.
2. **Job** : personnage biblique. « Dieu me l'a donné, Dieu me l'a ôté, que le nom du seigneur soit béni », aurait-il déclaré après avoir été nanti puis privé de ses richesses données par Dieu.
3. ***La poule au pot* de Henri IV** : référence à Stendhal *(Racine et Shakespeare)* : « Ce qu'il y a d'antiromantique, c'est M. Legouvé, dans sa tragédie d'Henri IV, ne pouvant pas reproduire le plus beau mot de ce roi patriote : "Je voudrais que le plus pauvre paysan de mon royaume pût du moins avoir sa poule au pot le dimanche." »

Elle s'en saisit, elle débarbouille cette canaille, et coud à ces vilenies son clinquant et ses paillettes ; *purpureus assuitur pannus*[1]. Son but paraît être de délivrer des lettres de noblesse à toute cette roture[2] du drame ; et chacune de ces lettres du grand scel[3] est une tirade[4].

Cette muse, on le conçoit, est d'une bégueulerie[5] rare. Accoutumée qu'elle est aux caresses de la périphrase, le mot propre, qui la rudoierait quelquefois, lui fait horreur. Il n'est point de sa dignité de parler naturellement. Elle *souligne* le vieux Corneille pour ses façons de dire crûment :

... *Un tas d'hommes perdus de dettes* et de crimes.
... Chimène, *qui l'eût cru ?* Rodrigue, *qui l'eût dit ?*
... Quand leur Flaminius *marchandait* Annibal.
... Ah ! ne me *brouillez* pas avec la république ! Etc., etc.

Elle a encore sur le cœur son : *Tout beau, monsieur*[6] *!* Et il a fallu bien des *seigneur !* et bien des *madame !* pour faire pardonner à notre admirable Racine ses *chiens* si

1. ***Purpureus assuitur pannus*** : dans l'*Art poétique* d'Horace « un lambeau de pourpre est cousu ».
2. **Roture** : vulgarité.
3. **Scel** : forme archaïque de « sceau ».
4. **Tirade** : Stendhal déclare à ce sujet *(op. cit.)* que « La tirade est peut-être ce qu'il y a de plus antiromantique dans le système de Racine ; et s'il fallait absolument choisir, j'aimerais encore mieux voir conserver les deux unités que la tirade. »
5. **Bégueulerie** : référence à Stendhal dans *Racine et Shakespeare* (« Dans la vie commune, le bégueulis. »).
6. « ***Tout beau, monsieur*** me est l'art de s'offenser pour le compte des vertus qu'on n'a pas ; en littérature, c'est l'art de jouir avec des goûts qu'on ne sent point » — voir *Horace*, III, 6, v. 1009.

monosyllabiques[1], ce *Claude* si brutalement *mis dans le lit* d'Agrippine[2].

Cette *Melpomène*[3], comme elle s'appelle, frémirait de toucher une chronique. Elle laisse au costumier le soin de savoir à quelle époque se passent les drames qu'elle fait. L'histoire à ses yeux est de mauvais ton et de mauvais goût. Comment, par exemple, tolérer des rois et des reines qui jurent ? Il faut les élever de leur dignité royale à la dignité tragique. C'est dans une promotion de ce genre qu'elle a anobli Henri IV. C'est ainsi que le roi du peuple, nettoyé par M. Legouvé[4] a vu son *ventre-saint-gris* chassé honteusement de sa bouche par deux sentences, et qu'il a été réduit, comme la jeune fille du fabliau, à ne plus laisser tomber de cette bouche royale que des perles, des rubis et des saphirs[5], le tout faux, à la vérité.

En somme, rien n'est si *commun* que cette élégance et cette noblesse de convention. Rien de trouvé, rien d'imaginé, rien d'inventé dans ce style. Ce qu'on a vu partout, rhétorique[6], ampoulé[7], lieux comuns, fleurs de collège[8], poésie de vers latins. Des idées d'emprunt vêtues d'images de pacotille. Les poètes de cette école sont élégants à la manière des princes et princesses de

1. ***Chiens* si monosyllabiques :** *Athalie*, II, v. 506 (« que des chiens dévorants se disputaient entre eux ».).
2. ***Claude*... Agrippine :** Britannicus, IV, 2, v. 1137 (« Mis Claude dans mon lit, et Rome à mes genoux. »).
3. ***Melpomène* :** l'une des Muses, patronne de la Tragédie.
4. **Legouvé :** voir note 3, p. 63. Hugo s'en prend particulièrement à lui parce qu'il est d'actualité au moment où il écrit sa préface.
5. **Perles... saphirs :** référence à un *Conte en prose* de Perrault.
6. **Rhétorique :** art de bien s'exprimer, éloquence (ici péjoratif), artifices du discours.
7. **Ampoulé :** style grandiose et artificiel.
8. **Fleurs de collège :** formules brillantes et naïves qui montrent l'immaturité de l'auteur.

théâtre, toujours sûrs de trouver dans les cases étiquetées du magasin manteaux et couronnes de similor, qui n'ont que le malheur d'avoir servi à tout le monde. Si ces poètes ne feuillettent pas la Bible, ce n'est pas qu'ils n'aient aussi leur gros livre, *Le Dictionnaire des rimes.* C'est là leur source de poésie, *fontes aquarum*[1].

On comprend que dans tout cela la nature et la vérité deviennent ce qu'elles peuvent. Ce serait grand hasard qu'il en surnageât quelque débris dans ce cataclysme de faux art, de faux style, de fausse poésie. Voilà ce qui a causé l'erreur de plusieurs de nos réformateurs distingués. Choqués de la roideur, de l'apparat, du *pomposo*[2] de cette prétendue poésie dramatique, ils ont cru que les éléments de notre langage poétique étaient incompatibles avec le naturel et le vrai. L'alexandrin les avait tant de fois ennuyés, qu'ils l'ont condamné, en quelque sorte, sans vouloir l'entendre, et ont conclu, un peu précipitamment peut-être, que le drame devait être écrit en prose[3].

Ils se méprenaient. Si le faux règne en effet dans le style comme dans la conduite de certaines tragédies françaises, ce n'était pas aux vers qu'il fallait s'en prendre, mais aux versificateurs. Il fallait condamner, non la forme employée, mais ceux qui avaient employé cette forme ; les ouvriers, et non l'outil.

Pour se convaincre du peu d'obstacles que la nature

1. ***Fontes aquarum*** : expression biblique, « les sources des eaux ».
2. ***Pomposo*** : pompeux.
3. **Le drame devait être écrit en prose** : Hugo s'oppose à Mme de Staël *(De l'Allemagne)* ; « Le despotisme des alexandrins force souvent à ne pas mettre en vers ce qui serait pourtant de la véritable poésie » ; « il serait donc à désirer qu'on pût sortir de l'enceinte que les hémistiches et les rimes ont tracée autour de l'art » et à Stendhal *(Racine et Shakespeare)* ; « De nos jours, le vers alexandrin n'est le plus souvent qu'un cache-sottise. »

de notre poésie oppose à la libre expression de tout ce qui est vrai, ce n'est peut-être pas dans Racine qu'il faut étudier notre vers, mais souvent dans Corneille, toujours dans Molière. Racine, divin poète, est élégiaque, lyrique, épique ; Molière est dramatique. Il est temps de faire justice des critiques entassées par le mauvais goût du dernier siècle[1] sur ce style admirable, et de dire hautement que Molière occupe la sommité de notre drame, non seulement comme poète, mais encore comme écrivain. *Palmas vere habet iste duas*[2].

Chez lui, le vers embrasse l'idée, s'y incorpore étroitement, la resserre et la développe tout à la fois, lui prête une figure plus svelte, plus stricte, plus complète, et nous la donne en quelque sorte en élixir. Le vers est la forme optique de la pensée. Voilà pourquoi il convient surtout à la perspective scénique. Fait d'une certaine façon, il communique son relief à des choses qui, sans lui, passeraient insignifiantes et vulgaires. Il rend plus solide et plus fin le tissu du style. C'est le nœud qui arrête le fil. C'est la ceinture qui soutient le vêtement et lui donne tous ses plis. Que pourraient donc perdre à entrer dans le vers la nature et le vrai ? Nous le demandons à nos prosaïstes[3] eux-mêmes, que perdent-ils à la poésie de Molière[4] ? Le vin, qu'on nous permette une trivialité de plus, cesse-t-il d'être du vin pour être en bouteille ?

Que si nous avions le droit de dire quel pourrait être, à notre gré, le style du drame, nous voudrions un vers libre, franc, loyal, osant tout dire sans pruderie, tout

1. **Le mauvais goût du dernier siècle :** le XVIIIe siècle n'apprécie guère Molière.
2. **Palmas... duas :** « il y a vraiment deux palmes. »
3. **Nos prosaïstes :** Stendhal et ses amis.
4. **Que perdent-ils à la poésie de Molière :** phrase rajoutée en marge du manuscrit.

exprimer sans recherche ; passant d'une naturelle allure de la comédie à la tragédie, du sublime au grotesque ; tour à tour positif et poétique, tout ensemble artiste et inspiré, profond et soudain, large et vrai ; sachant briser à propos et déplacer la césure pour déguiser sa monotonie d'alexandrin ; plus ami de l'enjambement qui l'allonge que de l'inversion qui l'embrouille ; fidèle à la rime, cette esclave reine[1], cette suprême grâce de notre poésie, ce générateur de notre mère ; inépuisable dans la variété de ses tours, insaisissable dans ses secrets d'élégance et de facture ; prenant, comme Protée[2], mille formes sans changer de type et de caractère, fuyant la *tirade* ; se jouant dans le dialogue ; se cachant toujours derrière le personnage[3] ; s'occupant avant tout d'être à sa place, et lorsqu'il lui adviendrait d'être *beau*, n'étant beau en quelque sorte que par hasard, malgré lui et sans le savoir ; lyrique, épique, dramatique, selon le besoin ; pouvant parcourir toute la gamme poétique, aller de haut en bas, des idées les plus élevées aux plus vulgaires, des plus bouffonnes aux plus graves, des plus extérieures aux plus abstraites, sans jamais sortir des limites d'une scène parlée ; en un mot, tel que le ferait l'homme qu'une fée aurait doué de l'âme de Corneille et de la tête de Molière. Il nous semble que ce vers-là serait *bien aussi beau que de la prose*[4].

---

1. **Cette esclave reine** : allusion à Boileau (« La rime est une esclave et ne doit qu'obéir », *Art poétique*, I, 30).
2. **Protée** : dieu marin auquel Poséidon avait donné le pouvoir de changer de forme à son gré.
3. **Se cachant toujours derrière le personnage** : difficile de savoir à qui Hugo fait allusion.
4. ***Bien aussi beau que de la prose*** : référence à La Harpe qui raconte dans son *Lycée* que lorsque les philosophes du XVIIIe siècle voulaient « louer des vers qui leur paraissaient faire une exception », ils déclaraient que « cela est beau comme de la prose ».

Il n'y aurait aucun rapport entre une poésie de ce genre et celle dont nous faisions tout à l'heure l'autopsie cadavérique. La nuance qui les sépare sera facile à indiquer, si un homme d'esprit[1], auquel l'auteur de ce livre doit un remerciement personnel, nous permet de lui en emprunter la piquante distinction : l'autre poésie était descriptive, celle-ci serait pittoresque.

Répétons-le surtout, le vers au théâtre doit dépouiller tout amour-propre, toute exigence, toute coquetterie. Il n'est là qu'une forme, et une forme qui doit tout admettre, qui n'a rien à imposer au drame, et au contraire doit tout recevoir de lui pour tout transmettre au spectateur : français, latin, textes de lois, jurons royaux, locutions populaires, comédie, tragédie, rire, larmes, prose et poésie. Malheur au poète si son vers fait la petite bouche[2] ! Mais cette forme est une forme de bronze qui encadre la pensée dans son mètre, sous laquelle le drame est indestructible, qui le grave plus avant dans l'esprit de l'acteur, avertit celui-ci de ce qu'il omet et de ce qu'il ajoute, l'empêche d'altérer son rôle, de se substituer à l'auteur, rend chaque mot sacré, et fait que ce qu'a dit le poète se retrouve longtemps après encore debout dans la mémoire de l'auditeur. L'idée, trempée dans le vers, prend soudain quelque chose de plus incisif et de plus éclatant. C'est le fer qui devient acier.

On sent que la prose, nécessairement bien plus timide, obligée de sevrer[3] le drame de toute poésie lyrique ou épique, réduite au dialogue et au positif, est loin d'avoir

1. **Un homme d'esprit :** sans doute Sainte-Beuve.
2. **Fait la petite bouche :** fait le difficile, le dégoûté.
3. **Sevrer :** priver.

ces ressources. Elle a les ailes bien moins larges. Elle est ensuite d'un beaucoup plus facile accès ; la médiocrité y est à l'aise ; et, pour quelques ouvrages distingués comme ceux que ces derniers temps ont vus paraître, l'art serait bien vite encombré d'avortons et d'embryons. Une autre fraction de la réforme inclinerait pour le drame écrit en vers et en prose tout à la fois, comme a fait Shakespeare. Cette manière a ses avantages. Il pourrait cependant y avoir disparate dans les transitions d'une forme à l'autre, et quand un tissu est homogène, il est bien plus solide. Au reste, que le drame soit écrit en prose, qu'il soit écrit en vers, qu'il soit écrit en vers et en prose, ce n'est là qu'une question secondaire. Le rang d'un ouvrage doit se fixer non d'après sa forme, mais d'après sa valeur intrinsèque[1]. Dans les questions de ce genre, il n'y a qu'une solution ; il n'y a qu'un poids qui puisse faire pencher la balance de l'art : c'est le génie.

Au demeurant, prosateur ou versificateur, le premier, l'indispensable mérite d'un écrivain dramatique, c'est la correction. Non cette correction toute de surface, qualité ou défaut de l'école descriptive, qui fait de Lhomond[2] et de Restaut[3] les ailes de son Pégase[4], mais cette correction intime, profonde, raisonnée, qui s'est pénétrée du génie d'un idiome[5], qui en a sondé les racines, fouillé les étymologies ; toujours libre, parce qu'elle est sûre de son fait, et qu'elle va toujours d'accord avec la logique

1. **Intrinsèque** : interne, fondamentale et essentielle.
2. **Lhomond** : latiniste et grammairien français (1727-1794) qui fait référence en son siècle.
3. **Restaut** : grammairien (1696-1764) qui constitue une référence à l'Université au début du XIXe siècle.
4. **Pégase** : dans la mythologie grecque, cheval ailé. Il symbolise ici l'inspiration.
5. **Idiome** : langue.

de la langue. Notre Dame la grammaire mène l'autre aux lisières ; celle-ci tient en laisse la grammaire. Elle peut oser, hasarder, créer, inventer son style : elle en a le droit. Car, bien qu'en aient dit certains hommes qui n'avaient pas songé à ce qu'ils disaient, et parmi lesquels il faut ranger notamment celui qui écrit ces lignes[1], la langue française n'est pas *fixée* et ne se fixera point. Une langue ne se fixe pas. L'esprit humain est toujours en marche, ou, si l'on veut, en mouvement, et les langues avec lui. Les choses sont ainsi. Quand le corps change, comment l'habit ne changerait-il pas ? Le français du dix-neuvième siècle ne peut pas plus être le français du dix-huitième, que celui-ci n'est le français du dix-septième, que le français du dix-septième n'est pas celui du seizième. La langue de Montaigne n'est plus celle de Rabelais, la langue de Pascal n'est plus celle de Montaigne, la langue de Montesquieu n'est plus celle de Pascal. Chacune de ces quatre langues, prise en soi, est admirable, parce qu'elle est originale. Toute époque a ses idées propres, il faut qu'elle ait aussi les mots propres à ces idées. Les langues sont comme la mer, elles oscillent sans cesse. À certains temps, elles quittent un rivage du monde de la pensée et en envahissent un autre. Tout ce que leur flot déserte ainsi sèche et s'efface du sol. C'est de cette façon que des idées s'éteignent, que des mots s'en vont. Il en est des idiomes humains comme de tout. Chaque siècle y apporte et en emporte quelque chose. Qu'y faire ? cela est fatal. C'est donc en vain que l'on voudrait pétrifier la mobile physionomie de notre idiome

1. **Celui qui écrit ces lignes :** Hugo avait en effet écrit dans la préface de ses *Odes et Ballades* : « Boileau partage avec notre Racine le mérite unique d'avoir fixé la langue française. »

sous une forme donnée. C'est en vain que nos Josués[1] littéraires crient à la langue de s'arrêter ; les langues ni le soleil ne s'arrêtent plus. Le jour où elles se *fixent*, c'est qu'elles meurent. — Voilà pourquoi le français de certaine école contemporaine est une langue morte.

[RÉFLEXIONS SUR LA PIÈCE DE *CROMWELL*]

Telles sont, à peu près, et moins les développements approfondis qui en pourraient compléter l'évidence, les idées *actuelles* de l'auteur de ce livre sur le drame. Il est loin du reste d'avoir la prétention de donner son essai dramatique comme une émanation de ces idées, qui bien au contraire ne sont peut-être elles-mêmes, à parler naïvement, que des révélations de l'exécution. Il lui serait fort commode sans doute et plus adroit d'asseoir son livre sur sa préface et de les défendre l'un par l'autre. Il aime mieux moins d'habileté et plus de franchise. Il veut donc être le premier à montrer la ténuité[2] du nœud qui lie cet avant-propos à ce drame. Son premier projet, bien arrêté d'abord par sa paresse, était de donner l'œuvre toute seule au public; *el demonio sin las cuernas*[3], comme disait Yriarte[4]. C'est après l'avoir dûment close et terminée, qu'à la sollicitation de quelques amis probablement bien aveuglés, il s'est déterminé à compter avec lui-même dans une préface, à tracer, pour ainsi par-

1. **Josué** : successeur de Moïse qui fit entrer les hébreux dans le pays de Canaan. Il aurait, durant la bataille de Gabaon, arrêté le soleil dans sa course afin de prolonger le jour et de gagner au combat.
2. **Ténuité** : fragilité.
3. ***El demonio... cuernas*** : le diable sans les cornes.
4. **Yriarte** : écrivain espagnol (1750-1791).

ler, la carte du voyage poétique qu'il venait de faire, à se rendre raison des acquisitions bonnes ou mauvaises qu'il en rapportait, et des nouveaux aspects sous lesquels le domaine de l'art s'était offert à son esprit. On prendra sans doute avantage de cet aveu pour répéter le reproche qu'un critique d'Allemagne lui a déjà adressé, de faire « une poétique pour sa poésie ». Qu'importe ? Il a d'abord eu bien plutôt l'intention de défaire que de faire des poétiques. Ensuite, ne vaudrait-il pas toujours mieux faire des poétiques d'après une poésie, que de la poésie d'après une poétique ? Mais non, encore une fois, il n'a ni le talent de créer, ni la prétention d'établir des systèmes. « Les systèmes, dit spirituellement Voltaire, sont comme les rats qui passent par vingt trous, et en trouvent enfin deux ou trois qui ne peuvent les admettre.[1] » C'eût donc été prendre une peine inutile et au-dessus de ses forces[2]. Ce qu'il a plaidé, au contraire, c'est la liberté de l'art contre le despotisme des systèmes, des codes et des règles. Il a pour habitude de suivre à tout hasard ce qu'il prend pour son inspiration, et de changer de moule autant de fois que de composition. Le dogmatisme, dans les arts, est ce qu'il fuit avant tout. À Dieu ne plaise qu'il aspire à être de ces hommes, romantiques ou classiques, qui font *des ouvrages dans leur système*, qui se condamnent à n'avoir jamais qu'une forme dans l'esprit, à toujours *prouver* quelque chose, à suivre d'autres lois que celles de leur organisation et de leur nature. L'œuvre artificielle de ces hommes-là, quelque

1. **Les systèmes... admettre :** Voltaire, *Dictionnaire philosophique* (1764).
2. **C'eût ... forces :** cette phrase et celle qui la précède ont été rajoutées en marge du manuscrit.

talent qu'ils aient d'ailleurs, n'exsite pas pour l'art. C'est une théorie, non une poésie.

Après avoir, dans tout ce qui précède, essayé d'indiquer quelle a été, selon nous, l'origine du drame, quel est son caractère, quel pourrait être son style, voici le moment de redescendre de ces sommités générales de l'art au cas particulier qui nous y a fait monter. Il nous reste à entretenir le lecteur de notre ouvrage, de ce *Cromwell* ; et comme ce n'est pas un sujet qui nous plaise, nous en dirons peu de chose en peu de mots.

Olivier Cromwell est du nombre de ces personnages de l'histoire qui sont tout ensemble très célèbres et très peu connus. La plupart de ses biographes, et dans le nombre il en est qui sont historiens, ont laissé incomplète cette grande figure. Il semble qu'ils n'aient pas osé réunir tous les traits de ce bizarre et colossal prototype de la réforme religieuse, de la révolution politique d'Angleterre. Presque tous se sont bornés à reproduire sur des dimensions plus étendues le simple et sinistre profil qu'en a tracé Bossuet[1], de son point de vue monarchique et catholique, de sa chaire d'évêque appuyée au trône de Louis XIV.

Comme tout le monde, l'auteur de ce livre s'en tenait là. Le nom d'Olivier Cromwell ne réveillait en lui que l'idée sommaire d'un fanatique régicide[2], grand capitaine. C'est en furetant la chronique, ce qu'il fait avec amour, c'est en fouillant au hasard les mémoires anglais du dix-septième siècle, qu'il fut frappé de voir se dérouler peu à peu devant ses yeux un Cromwell tout nou-

1. **Bossuet** : dans l'*Oraison funèbre* d'Henriette de France, Bossuet brosse un court portrait de Cromwell.
2. **Régicide** : qui a tué son roi.

veau. Ce n'était plus seulement le Cromwell militaire, le Cromwell politique de Bossuet ; c'était un être complexe, hétérogène, multiple, composé de tous les contraires, mêlé de beaucoup de mal et de beaucoup de bien, plein de génie et de petitesse ; une sorte de Tibère-Dandin[1], tyran de l'Europe et jouet de sa famille ; vieux régicide, humiliant les ambassadeurs de tous les rois, torturé par sa jeune fille royaliste ; austère et sombre dans ses mœurs et entretenant quatre fous de cour autour de lui ; faisant de méchants vers ; sobre, simple, frugal, et guindé sur l'étiquette ; soldat grossier et politique délié ; rompu aux arguties théologiques[2] et s'y plaisant ; orateur lourd, diffus, obscur, mais habile à parler le langage de tous ceux qu'il voulait séduire ; hypocrite et fanatique ; visionnaire dominé par des fantômes de son enfance, croyant aux astrologues et les proscrivant ; défiant à l'excès, toujours menaçant, rarement sanguinaire ; rigide observateur de prescriptions puritaines, perdant gravement plusieurs heures par jour à des bouffonneries ; brusque et dédaigneux avec ses familiers, caressant avec les sectaires qu'il redoutait ; trompant ses remords avec des subtilités, rusant avec sa conscience ; intarissable en adresse, en pièges, en ressources ; maîtrisant son imagination par son intelligence ; grotesque et sublime ; enfin, un de ces hommes *carrés par la base*, comme les appelait Napoléon, le type et le chef de tous ces hommes complets, dans sa langue exacte comme l'algèbre, colorée comme la poésie.

1. **Tibère-Dandin** : mot composé à dessein. Allusion à Tibère, empereur romain (42 av. J.-C.-37 apr. J.-C.), stoïcien et pacifique et à Dandin, personnage de Molière.
2. **Arguties théologiques** : discussions religieuses.

Celui qui écrit ceci, en présence de ce rare et frappant ensemble, sentit que la silhouette passionnée de Bossuet ne lui suffisait plus. Il se mit à tourner autour de cette haute figure, et il fut pris alors d'une ardente tentation de peindre le géant sous toutes ses faces, sous tous ses aspects. La matière était riche. À côté de l'homme de guerre et de l'homme d'État, il restait à crayonner le théologien, le pédant, le mauvais poète, le visionnaire, le bouffon, le père, le mari, l'homme-Protée[1], en un mot le Cromwell double, *homo et vir*.

Il y a surtout une époque dans sa vie où ce caractère singulier se développe sous toutes ses formes. Ce n'est pas, comme on le croirait au premier coup d'œil, celle du procès de Charles Ier, toute palpitante qu'elle est d'un intérêt sombre et terrible ; c'est le moment où l'ambitieux essaya de cueillir le fruit de cette mort. C'est l'instant où Cromwell, arrivé à ce qui eût été pour quelque autre la sommité d'une fortune possible, maître de l'Angleterre dont les mille factions se taisent sous ses pieds, maître de l'Écosse dont il fait un pachalik[2], et de l'Irlande, dont il fait un bagne, maître de l'Europe par ses flottes, par ses armées, par sa diplomatie, essaie enfin d'accomplir le premier rêve de son enfance, le dernier but de sa vie, de se faire roi. L'histoire n'a jamais caché plus haute leçon sous un drame plus haut. Le Protecteur se fait d'abord prier ; l'auguste farce commence par des adresses de communautés, des adresses de villes, des adresses des comtés ; puis c'est un bill[3] du parlement.

---

1. **L'homme-Protée** : Protée, dieu grec qui a le don de divination mais qui ne donne des prédictions que contraint et forcé.
2. **Pachalik** : dans l'ancienne Turquie, province gouvernée par un pacha.
3. **Bill** : en Angleterre, projet d'acte de loi du Parlement, quelquefois la loi elle-même.

Cromwell, auteur anonyme de la pièce, en veut paraître mécontent ; on le voit avancer une main vers le spectre et la retirer ; il s'approche à pas obliques de ce trône dont il a balayé la dynastie. Enfin, il se décide brusquement ; par son ordre, Westminster est pavoisé, l'estrade est dressée, la couronne est commandée à l'orfèvre, le jour de la cérémonie est fixé. Dénouement étrange ! C'est ce jour-là même, devant le peuple, la milice, les communes, dans cette grande salle de Westminster, sur cette estrade dont il comptait descendre roi, que, subitement, comme en sursaut, il semble se réveiller à l'aspect de la couronne, demande s'il rêve, ce que veut dire cette cérémonie, et dans un discours qui dure trois heures refuse la dignité royale. — Était-ce que ses espions l'avaient averti de deux conspirations combinées des cavaliers et des puritains, qui devaient, profitant de sa faute, éclater le même jour ? Était-ce révolution produite en lui par le silence ou les murmures de ce peuple, déconcerté de voir son régicide aboutir au trône ? Était-ce seulement sagacité[1] du génie, instinct d'une ambition prudente, quoique effrénée, qui sait combien un pas de plus change souvent la position et l'attitude d'un homme, et qui n'ose exposer son édifice plébéien au vent de l'impopularité ? Était-ce tout cela à la fois ? C'est ce que nul document contemporain n'éclaircit souverainement. Tant mieux ; la liberté du poète en est plus entière, et le drame gagne à ces latitudes que lui laisse l'histoire. On voit ici qu'il est immense et unique ; c'est bien là l'heure décisive, la grande péripétie de la vie de Cromwell. C'est le moment où sa chimère lui échappe, où le présent lui

1. **Sagacité** : pénétration.

tue l'avenir, où, pour employer une vulgarité énergique, sa destinée *rate.* Tout Cromwell est en jeu dans cette comédie qui se joue entre l'Angleterre et lui.

Voilà donc l'homme, voilà l'époque qu'on a tenté d'esquisser dans ce livre.

L'auteur s'est laissé entraîner au plaisir d'enfant de faire mouvoir les touches de ce grand clavecin. Certes, de plus habiles en auraient pu tirer une haute et profonde harmonie, non de ces harmonies qui ne flattent que l'oreille, mais de ces harmonies intimes qui remuent tout l'homme, comme si chaque corde du clavier se nouait à une fibre du cœur. Il a cédé, lui, au désir de peindre tous ces fanatismes, toutes ces superstitions, maladies des religions à certaines époques ; à l'envie de *jouer de tous ces hommes*, comme dit Hamlet ; d'étager au-dessous et autour de Cromwell, centre et pivot de cette cour, de ce peuple, de ce monde, ralliant tout à son unité et imprimant à tout son impulsion, et cette double conspiration tramée par deux factions qui s'abhorrent[1], se liguent pour jeter bas l'homme qui les gêne, mais s'unissent sans se mêler ; et ce parti puritain, fanatique, divers, sombre, désintéressé, prenant pour chef l'homme le plus petit pour un si grand rôle, l'égoïste et pusillanime[2] Lambert ; et ce parti des cavaliers, étourdi, joyeux, peu scrupuleux, insouciant, dévoué, dirigé par l'homme qui hormis le dévouement, le représente le moins, le probe[3] et sévère Ormond ; et ces ambassadeurs, si humbles devant le soldat de fortune ; et cette cour étrange toute mêlée d'hommes de hasard et de

1. **S'abhorrent :** se haïssent.
2. **Pusillanime :** poltron, dépourvu de volonté.
3. **Probe :** honnête.

grands seigneurs disputant de bassesse ; et ces quatre bouffons que le dédaigneux oubli de l'histoire permettait d'imaginer ; et cette famille dont chaque membre est une plaie de Cromwell ; et ce Thurloë, l'*Achates* du Protecteur ; et de rabbin juif, cet Israël Ben-Manassé, espion, usurier et astrologue, vil de deux côtés, sublime par le troisième ; et ce Rochester, ce bizarre Rochester, ridicule et spirituel, élégant et crapuleux, jurant sans cesse, toujours amoureux et toujours ivre, ainsi qu'il s'en vantait à l'évêque Burnet, mauvais poète et bon gentilhomme, vicieux et naïf, jouant sa tête et se souciant peu de gagner la partie pourvu qu'elle l'amuse, capable de tout, en un mot, de ruse et d'étourderie, de folie et de calcul, de turpitude et de générosité ; et ce sauvage Carr, dont l'histoire ne dessine qu'un trait, mais bien caractéristique et bien fécond ; et ces fanatiques de tout ordre et de tout genre, Harrison, fanatique pillard ; Barebone, marchand fanatique ; Syndercomb, tueur ; Augustin Garland, assassin larmoyant et dévot ; le brave colonel Overton, lettré un peu déclamateur ; l'austère et rigide Ludlow, qui alla plus tard laisser sa cendre et son épitaphe à Lausanne ; enfin « Milton[1] et quelques autres qui avaient de l'esprit », comme dit un pamphlet de 1675 *(Cromwell politique)*, qui nous rappelle le *Dantem quemdam* de la chronique italienne.

Nous n'indiquons pas beaucoup de personnages plus secondaires, dont chacun a cependant sa vie réelle et son individualité marquée, et qui tous contribuaient à la séduction qu'exerçait sur l'imagination de l'auteur cette vaste scène de l'histoire. De cette scène il a fait ce drame.

1. **Thurloë... Milton et quelques autres qui avaient de l'esprit** : quelques-uns des soixante-deux personnages de *Cromwell*.

Il l'a jeté en vers, parce que cela lui a plu ainsi. On verra du reste à le lire combien il songeait peu à son ouvrage en écrivant cette préface, avec quel désintéressement, par exemple, il combattait le dogme des unités. Son drame ne sort pas de Londres, il commence le 25 juin 1657 à trois heures du matin et finit le 26 à midi. On voit qu'il entrerait presque dans la prescription classique, telle que les professeurs de poésie la rédigent maintenant. Qu'ils ne lui en sachent du reste aucun gré. Ce n'est pas avec la permission d'Aristote, mais avec celle de l'histoire, que l'auteur a groupé ainsi son drame ; et parce que, à intérêt égal, il aime mieux un sujet concentré qu'un sujet éparpillé.

Il est évident que ce drame, dans ses proportions actuelles, ne pourrait s'encadrer dans nos représentations scéniques. Il est trop long. On reconnaîtra peut-être cependant qu'il a été dans toutes ses parties composé pour la scène. C'est en s'approchant de son sujet pour l'étudier que l'auteur reconnut ou crut reconnaître l'impossibilité d'en faire admettre une reproduction fidèle sur notre théâtre, dans l'état d'exception où il est placé, entre le Charybde académique et le Scylla[1] administratif, entre les jurys littéraires et la censure politique. Il fallait opter : ou la tragédie pateline[2], sournoise, fausse, et jouée, ou le drame insolemment vrai, et banni. La première chose ne valait pas la peine d'être faite ; il a préféré tenter la seconde. C'est pourquoi, désespérant d'être jamais mis en scène, il s'est livré libre et docile aux fantaisies de la composition, au plaisir de la dérouler à plus larges plis, aux développements que son sujet compor-

1. Charybde et Scylla : monstres fabuleux gardant le détroit de Messine.
2. Pateline : doucereuse et flatteuse.

tait, et qui, s'ils achèvent d'éloigner son drame du théâtre, ont du moins l'avantage de le rendre presque complet sous le rapport historique. Du reste, les comités de lecture ne sont qu'un obstacle de second ordre. S'il arrivait que la censure dramatique, comprenant combien cette innocente, exacte et consciencieuse image de Cromwell et de son temps est prise en dehors de notre époque, lui permît l'accès du théâtre, l'auteur, mais dans ce cas seulement, pourrait extraire de ce drame une pièce qui se hasarderait alors sur la scène, et serait sifflée.

Jusque-là il continuera de se tenir éloigné du théâtre. Et il quittera toujours assez tôt, pour les agitations de ce monde nouveau, sa chère et chaste retraite. Fasse Dieu qu'il ne se repente jamais d'avoir exposé la vierge obscurité de son nom et de sa personne aux écueils, aux bourrasques, aux tempêtes du parterre, et surtout (car qu'importe une chute ?) aux tracasseries misérables de la coulisse ; d'être entré dans cette atmosphère variable, brumeuse, orageuse, où dogmatise l'ignorance, où siffle l'envie, où rampent les cabales[1], où la probité du talent a si souvent été méconnue, où la noble candeur du génie est quelquefois si déplacée, où la médiocrité triomphe de rabaisser à son niveau les supériorités qui l'offusquent, où l'on trouve tant de petits hommes pour un grand, tant de nullités pour un Talma[2], tant de myrmidons[3] pour un Achille ! Cette esquisse semblera peut-être morose et peu flattée ; mais n'achève-t-elle pas de marquer la dif-

1. **Cabales** : groupes d'opposition.
2. **Talma** : tragédien français (1763-1826) qui introduisit dans le théâtre une importante réforme de la diction et du costume dans le sens du naturel et de la vérité historique. Devenu acteur, il fut comblé d'honneurs par Napoléon.
3. **Myrmidons** : petits hommes chétifs et insignifiants.

férence qui sépare notre théâtre, lieu d'intrigues et de tumultes, de la solennelle sérénité du théâtre antique ?

Quoi qu'il advienne, il croit devoir avertir d'avance le petit nombre de personnes qu'un pareil spectacle tenterait, qu'une pièce extraite de *Cromwell* n'occuperait toujours pas moins de la durée d'une représentation. Il est difficile qu'un théâtre *romantique* s'établisse autrement. Certes, si l'on veut autre chose que ces tragédies dans lesquelles un ou deux personnages, types abstraits d'une idée purement métaphysique, se promènent solennellement sur un fond sans profondeur, à peine occupé par quelques têtes de confidents, pâles contre-calques des héros, chargés de remplir les vides d'une action simple, uniforme et monocorde ; si l'on s'ennuie de cela, ce n'est pas trop d'une soirée entière pour dérouler un peu largement tout un homme d'élite, toute une époque de crise ; l'un avec son caractère, son génie qui s'accouple à son caractère, ses croyances qui les dominent tous deux, ses passions qui viennent déranger ses croyances, son caractère et son génie, ses goûts qui déteignent sur ses passions, ses habitudes qui disciplinent ses goûts, musèlent ses passions, et ce cortège innombrable d'hommes de tout échantillon que ces divers agents font tourbillonner autour de lui ; l'autre, avec ses mœurs, ses lois, ses modes, son esprit, ses lumières, ses superstitions, ses événements, et son peuple que toutes ces causes premières pétrissent tour à tour comme une cire molle. On conçoit qu'un pareil tableau sera gigantesque. Au lieu d'une individualité, comme celle dont le drame abstrait de la vieille école se contente, on en aura vingt, quarante, cinquante, que sais-je ? de tout relief et de toute proportion. Il y aura foule dans le drame. Ne serait-il pas mesquin de lui mesurer deux heures de durée pour donner le reste de la représentation à l'opéra-comique ou à la farce ? d'étriquer Shakespeare pour Bobèche[1] ? — Et qu'on ne pense pas, si l'action est bien gouvernée, que de la multitude des figures qu'elle met en jeu puisse résulter fatigue pour le spectateur ou papillotage dans le drame. Shakespeare, abondant en petits détails, est en même temps, et à cause de cela même, imposant par un grand ensemble. C'est le chêne qui jette une ombre immense avec des miliers de feuilles exiguës et découpées.

Espérons qu'on ne tardera pas à s'habituer en France à consacrer toute une soirée à une seule pièce. Il y a en Angleterre et en Allemagne des drames qui durent six heures. Les Grecs, dont on nous parle tant, les Grecs, et à la façon de Scudéry[2] nous invoquons ici le classique Dacier[3], chapitre VII de sa *Poétique*, les Grecs allaient parfois jusqu'à se faire représenter douze ou seize pièces par jour. Chez un peuple ami des spectacles, l'attention est plus *vivace* qu'on ne croit. *Le Mariage de Figaro*, ce nœud de la grande trilogie de Beaumarchais, remplit toute la soirée, et qui a-t-il jamais ennuyé ou fatigué ? Beaumarchais était digne de hasarder le premier pas vers ce but de l'art moderne, auquel il est impossible de faire, avec deux heures, germer ce profond, cet invincible intérêt qui résulte d'une action vaste, vraie et multiforme. Mais, dit-on, ce spectacle, composé d'une seule pièce, serait monotone et paraîtrait long. Erreur ! Il perdrait au contraire sa longueur et sa monotonie actuelles. Que

---

1. **Bobèche** : pitre des théâtres de la Foire, célèbre sous l'Empire et la Restauration.
2. **Scudéry** : voir note 1, p. 49.
3. **Dacier** : érudit français (1651-1722) qui traduisit de nombreux ouvrages grecs et latins.

fait-on en effet maintenant ? On divise les jouissances du spectateur en deux parts bien tranchées. On lui donne d'abord deux heures de plaisir sérieux, puis une heure de plaisir folâtre ; avec l'heure d'entr'actes que nous ne comptons pas dans le plaisir, en tout quatre heures. Que ferait le drame romantique ? Il broierait et mêlerait artistement ensemble ces deux espèces de plaisir. Il ferait passer à chaque instant l'auditoire du sérieux au rire, des excitations bouffonnes aux émotions déchirantes, *du grave au doux, du plaisant au sévère*. Car, ainsi que nous l'avons déjà établi, le drame, c'est le grotesque avec le sublime, l'âme sous le corps, c'est une tragédie sous une comédie. Ne voit-on pas que, vous reposant ainsi d'une impression par une autre, aiguisant tour à tour le tragique sur le comique, le gai sur le terrible, s'associant même au besoin les fascinations de l'opéra, ces représentations, tout en n'offrant qu'une pièce, en vaudraient bien d'autres ? La scène romantique ferait un mets piquant, varié, savoureux, de ce qui sur le théâtre classique est une médecine divisée en deux pilules.

Voici que l'auteur de ce livre a bientôt épuisé ce qu'il avait à dire au lecteur. Il ignore comment la critique accueillera et ce drame, et ces idées sommaires, dégarnies de leurs corollaires[1], appauvries de leurs ramifications, ramassées en courant et dans la hâte d'en finir. Sans doute elles paraîtront aux « disciples de La Harpe[2] » bien effrontées et bien étranges. Mais si, par aventure, toutes nues et tout amoindries qu'elles sont, elles pouvaient contribuer à mettre sur la route du vrai ce public dont l'éducation est déjà si avancée, et que tant de

1. **Corollaires :** effets, portée.
2. **La Harpe :** voir note 3, p. 22.

remarquables écrits, de critique ou d'application, livres ou journaux, ont déjà mûri pour l'art, qu'il suive cette impulsion sans s'occuper si elle lui vient d'un homme ignoré, d'une voix sans autorité, d'un ouvrage de peu de valeur. C'est une cloche de cuivre qui appelle les populations au vrai temple et au vrai Dieu.

Il y a aujourd'hui l'ancien régime littéraire comme l'ancien régime politique. Le dernier siècle pèse encore presque de tout point sur le nouveau. Il l'opprime notamment dans la critique. Vous trouvez, par exemple, des hommes vivants qui vous répètent cette définition du goût échappé à Voltaire[1] : « Le goût n'est autre chose pour la poésie que ce qu'il est pour les ajustements des femmes. » Ainsi, le goût c'est la coquetterie. Paroles remarquables qui peignent à merveille cette poésie fardée, mouchetée, poudrée, du dix-huitième siècle, cette littérature à paniers, à pompons et à falbalas[2]. Elles offrent un admirable résumé d'une époque avec laquelle les plus hauts génies n'ont pu être en contact sans devenir petits, du moins par un côté, d'un temps où Montesquieu a pu et dû faire *Le Temple du Gnide*, Voltaire *Le Temple du goût*, Jean-Jacques *Le Devin du village*.

Le goût, c'est la raison du génie. Voilà ce qu'établira bientôt une autre critique, une critique forte, franche, savante, une critique du siècle qui commence à pousser des jets vigoureux sous les vieilles branches desséchées de l'ancienne école. Cette jeune critique, aussi grave que l'autre est frivole, aussi érudite que l'autre est ignorante, s'est déjà créé des organes écoutés, et l'on est quelquefois surpris de trouver dans les feuilles les plus légères d'ex-

1. **Voltaire** : voir *Essai sur la poésie épique*.
2. **Falbalas** : volants qui ornent les robes.

cellents articles émanés d'elle. C'est elle qui, s'unissant à tout ce qu'il y a de supérieur et de courageux dans les lettres, nous délivrera de deux fléaux : le *classicisme* caduc, et le faux *romantisme*, qui ose poindre aux pieds du vrai. Car le génie moderne a déjà son ombre, sa contre-épreuve, son parasite, son *classique*, qui se grime sur lui, se vernit de ses couleurs, prend sa livrée, ramasse ses miettes, et semblable à l'*élève du sorcier*[1], met en jeu, avec des mots retenus de mémoire, des éléments d'action dont il n'a pas le secret. Aussi fait-il des sottises que son maître a maintes fois beaucoup de peine à réparer. Mais ce qu'il faut détruire avant tout, c'est le vieux faux goût. Il faut en dérouiller la littérature actuelle. C'est en vain qu'il la ronge et la ternit. Il parle à une génération jeune, sévère, puissante, qui ne le comprend pas. La queue du dix-huitième siècle traîne encore dans le dix-neuvième ; mais ce n'est pas nous, jeunes hommes qui avons vu Bonaparte, qui la lui porterons.

Nous touchons donc au moment de voir la critique nouvelle prévaloir, assise, elle aussi, sur une base large, solide et profonde. On comprendra bientôt généralement que les écrivains doivent être jugés, non d'après les règles et les genres, choses qui sont hors de la nature et hors de l'art, mais d'après les principes immuables de cet art et les lois spéciales de leur organisation personnelle. La raison de tous aura honte de cette critique qui a roué vif Pierre Corneille, bâillonné Jean Racine, et qui n'a risiblement réhabilité John Milton qu'en vertu du code épique du père le Bossu. On consentira, pour se rendre compte d'un ouvrage, à se placer au point de vue de

1. ***L'élève du sorcier :*** allusion à la ballade de Goethe « L'Apprenti sorcier ».

l'auteur, à regarder le sujet avec ses yeux. On quittera, et c'est M. de Chateaubriand qui parle ici, *la critique mesquine des défauts pour la grande et féconde critique des beautés*. Il est temps que tous les bons esprits saisissent le fil qui lie fréquemment ce que, selon notre caprice particulier, nous appelons *défaut* à ce que nous appelons *beauté*. Les défauts, du moins ce que nous nommons ainsi, sont souvent la condition native, nécessaire, fatale, des qualités.

Scit genius, natale comes qui temperat astrum[1].

Où voit-on médaille qui n'ait son revers ? talent qui n'apporte son ombre avec sa lumière, sa fumée avec sa flamme ? Telle tache peut n'être que la conséquence indivisible de telle beauté. Cette touche heurtée, qui me choque de près, complète l'effet et donne la saillie à l'ensemble. Effacez l'une, vous effacez l'autre. L'originalité se compose de tout cela. Le génie est nécessairement inégal. Il n'est pas de hautes montagnes sans profonds précipices. Comblez la vallée avec le mont, vous n'aurez plus qu'une steppe, une lande, la plaine des Sablons[2] au lieu des Alpes, des alouettes et non des aigles.

Il faut aussi faire la part du temps, du climat, des influences locales. La Bible, Homère, nous blessent quelquefois par leurs sublimités mêmes. Qui voudrait y

1. ***Scit genius... astrum*** : Horace, Épîtres II, 2, v. 187 ; « Il la connaît, le génie de chaque homme, compagnon qui tempère en lui l'influence de son astre natal » (en parlant de ce qui permet d'expliquer les différences entre les caractères des hommes).
2. **Plaine des Sablons** : près de Paris, entre les Ternes et Neuilly, servait de terrain de manœuvres depuis Louis XV.

retrancher un mot ? Notre infirmité s'effarouche souvent des hardiesses inspirées du génie, faute de pouvoir s'abattre sur les objets avec une aussi vaste intelligence. Et puis, encore une fois, il y a de ces *fautes* qui ne prennent racine que dans les chefs-d'œuvre ; il n'est donné qu'à certains génies d'avoir certains défauts. On reproche à Shakespeare l'abus de la métaphysique, l'abus de l'esprit, des scènes parasites, des obscénités, l'emploi des friperies mythologiques de mode dans son temps, de l'extravagance, de l'obscurité, du mauvais goût, de l'enflure, des aspérités de style. Le chêne, cet arbre géant que nous comparions tout à l'heure à Shakespeare et qui a plus d'une analogie avec lui, le chêne a le port bizarre, les rameaux noueux, le feuillage sombre, l'écorce âpre et rude ; mais il est le chêne.

Et c'est à cause de cela qu'il est le chêne. Que si vous voulez une tige lisse, des branches droites, des feuilles de satin, adressez-vous au pâle bouleau, au sureau creux, au saule pleureur ; mais laissez en paix le grand chêne. Ne lapidez pas qui vous ombrage.

L'auteur de ce livre connaît autant que personne les nombreux et grossiers défauts de ses ouvrages. S'il lui arrive trop rarement de les corriger, c'est qu'il répugne à revenir après coup sur une chose faite. Il ignore cet art de souder une beauté à la place d'une tache, et il n'a jamais pu rappeler l'inspiration sur une œuvre refroidie. Qu'a-t-il fait d'ailleurs qui vaille cette peine ? Le travail qu'il perdrait à effacer les imperfections de ses livres, il aime mieux l'employer à dépouiller son esprit de ses défauts. C'est sa méthode de ne corriger un ouvrage que dans un autre ouvrage.

Au demeurant, de quelque façon que son livre soit traité, il prend ici l'engagement de ne le défendre ni en tout ni en partie. Si son drame est mauvais, que sert de le soutenir ? S'il est bon, pourquoi le défendre ? Le temps fera justice du livre, ou la lui rendra. Le succès du moment n'est que l'affaire du libraire. Si donc la colère de la critique s'éveille à la publication de cet essai, il la laissera faire. Que lui répondrait-il ? Il n'est pas de ceux qui parlent, ainsi que le dit le poète castillan, *par la bouche de leur blessure*,

Por la boca de su herida...[1]

Un dernier mot. On a pu remarquer que dans cette course un peu longue à travers tant de questions diverses, l'auteur s'est généralement abstenu d'étayer son opinion personnelle sur des textes, des citations, des autorités. Ce n'est pas cependant qu'elles lui eussent fait faute. — « Si le poète établit des choses impossibles selon les règles de son art, il commet une faute sans contredit ; mais elle cesse d'être faute, lorsque par ce moyen il arrive à la fin qu'il s'est proposée ; car il a trouvé ce qu'il cherchait[2]. » — « Ils prennent pour galimatias tout ce que la faiblesse de leurs lumières ne leur permet pas de comprendre. Ils traitent surtout de ridicules ces endroits merveilleux où le poète, afin de mieux entrer dans la raison, sort, s'il faut ainsi parler, de la raison même. Ce précepte effectivement, qui donne pour règle de ne point garder quelquefois de règles, est un mystère de l'art qu'il n'est pas aisé de faire entendre à des hommes sans aucun goût... et qu'une espèce de bizarrerie d'esprit rend insen-

1. ***Por la boca de su herida*** : citation empruntée à Guillèn de Castro, *Mocedades del Cid*. Tout ce paragraphe est ajouté en marge du manuscrit.
2. **Si le poète... cherchait** : Aristote (*Poétique*, chap. XXV).

sibles à ce qui frappe ordinairement les hommes[1]. » — Qui dit cela ? c'est Aristote. Qui dit ceci ? c'est Boileau. On voit à ce seul échantillon que l'auteur de ce drame aurait pu comme un autre se cuirasser de noms propres et se réfugier derrière des réputations. Mais il a voulu laisser ce mode d'argumentation à ceux qui le croient invincible, universel et souverain. Quant à lui, il préfère des raisons à des autorités ; il a toujours mieux aimé des armes que des armoiries.

Octobre 1827.

1. **Ils prennent... les hommes** : Boileau, *Discours sur l'ode* ; Hugo fausse la pensée de Boileau en remplaçant « Perrault » par l'expression « des hommes sans goût » et en appliquant à toute la poésie ce que Boileau dit de l'ode.

Comment lire l'œuvre

Préface de Cromwell

Genre : préface à valeur de manifeste qui énonce les principes du drame romantique.

Auteur : Victor Hugo (1802-1885).

Date de création : octobre 1827. La rédaction de la *Préface* succède à la pièce commencée en août 1826 et terminée fin août 1827.

Date de parution : le 5 décembre 1827.

Principales sources : Chateaubriand (*Génie du christianisme*), Mme de Staël (*De l'Allemagne*), Stendhal (*Racine et Shakespeare*).

Structure : quatre parties.
– Préambule.
– La théorie des trois âges.
– La théorie du drame.
– À propos du drame historique de *Cromwell.*

Sujet : le renouvellement du genre dramatique par une série de principes en opposition avec ceux du théâtre classique :
– le mélange des genres et des tons (comédie et tragédie, grotesque et sublime) ;
– la couleur locale ;
– une intrigue riche et conforme à la réalité ;
– l'unité d'ensemble ;
– la vérité historique ;
– des personnages multiples, d'origines sociales différentes ;

– un langage diversifié : mélange des registres de langue ;
– l'utilisation du vers.

Principaux thèmes : les trois âges de l'humanité et de la littérature ; le drame opposé à la tragédie classique ; l'ancienne école opposée aux représentants d'un art nouveau.

Caractéristiques de l'écriture : discours argumentatif qui utilise toutes les ressources du raisonnement et de la rhétorique.

Réception de la *Préface* :

Dans l'ensemble, l'accueil de la critique est défavorable : elle conteste la validité des arguments – notamment historiques – de la *Préface* et la mise à mort du théâtre classique. À l'inverse, le public et les artistes saluent le texte comme le manifeste très attendu du romantisme. Hugo apparaît alors comme le chef de file de ce mouvement.

Richard Cromwell

VICTOR HUGO
(1802-1885)

Un enfant qui voyage

1802

Naissance de Victor Hugo à Besançon. Durant son enfance, il voyage au gré des affectations de son père, officier d'Empire, et des lieux de résidence de sa mère : Marseille, l'île d'Elbe, Naples, Paris, Madrid. Ses parents se séparent quand Victor a douze ans.

Un jeune écrivain fervent

1815

Victor entre à la pension Cordier, à Paris. En octobre 1816, il poursuit ses études au lycée Louis-le-Grand. Victor écrit alors avec passion des poèmes, des tragédies et des mélodrames. Il note : « Je veux être Chateaubriand ou rien. » (10 juillet 1816.)

1819-1823

Avec son frère Abel, il fonde son premier journal, *Le Conservateur littéraire,* qui se réclame des idées de Chateaubriand. Il publie de nombreux articles critiques. L'*Ode sur la mort du duc de Berry* lui vaut de recevoir une pension de mille francs du roi Louis XVIII. Il est alors présenté à Chateaubriand. Après la mort de sa mère (1821), il épouse en 1822

Adèle Foucher, une amie d'enfance qui lui donnera cinq enfants : Léopold-Victor, Léopoldine, Charles, François-Victor et Adèle. Multipliant les activités littéraires, il fonde en 1823 une nouvelle revue, *La Muse française* et publie *Hans d'Islande*, roman fantastique. Politiquement engagé, il affirme ses convictions royalistes et catholiques. Son deuxième frère, Eugène est déclaré fou.

Un chef d'école

1824-1827

Hugo fréquente le Cénacle avant de fonder le Nouveau Cénacle (1827), deux cercles littéraires où la jeunesse romantique (Musset, Mérimée, Nodier, Vigny, Dumas, Gautier, Sainte-Beuve, Delacroix...) refait passionnément le monde. Il publie *Odes et Ballades* (1826), compose un drame, *Cromwell*, accompagné d'une *Préface* à valeur de manifeste sur le drame romantique.

1828-1830

Le Dernier Jour d'un condamné paraît, suivi des *Orientales* (1829). Le 25 février 1830, on assiste à la première représentation du drame *Hernani* qui entraîne une levée de boucliers chez les tenants du théâtre classique, mais consacre le triomphe du théâtre romantique.

1831-1838

Victor Hugo évolue vers le libéralisme. *Notre-Dame de Paris* (roman) , *Le roi s'amuse* (drame aussitôt interdit pour outrage aux bonnes mœurs) mettent en scène le peuple et les laissés-pour-compte. En 1838, le drame en vers *Ruy Blas* a pour héros un laquais. Hugo connaît alors la notoriété. C'est en 1833 qu'il entreprend une liaison avec Juliette Drouet.

Le temps des honneurs...

1841-1848

Hugo est élu à l'Académie française (1841). En 1843, l'échec de son drame *Les Burgraves* met fin à sa carrière d'auteur dramatique. Peu à peu, il se rapproche du pouvoir. Il est nommé pair de France par Louis-Philippe (1845) avant de se rallier à la République sous la présidence de Louis Napoléon Bonaparte (1848). Élu député, il fonde *L'Événement*. Le 4 septembre, la mort de sa fille, Léopoldine, le laisse profondément meurtri.

... et de l'exil

1851-1859

Après le coup d'État de Louis Napoléon, Victor Hugo est proscrit et se réfugie à Jersey (1852) où il compose *Napoléon le Petit* (pamphlets, 1852), puis *Les Châtiments* (poésie, 1853). Expulsé en 1855, il s'installe à Guernesey, publie *Les Contemplations* (poésie, 1856) et *La Légende des siècles* (poésie, 1859). Il refuse l'amnistie impériale.

1862-1869

Hugo publie *Les Misérables* (roman, 1862), *Les Travailleurs de la mer* (roman, 1866), *L'homme qui rit* (roman, 1869). Adèle Hugo meurt en 1868.

Le patriarche

1870-1872

La chute de l'Empire met fin à dix-huit ans d'exil. Hugo revient en France et finit par préférer sa tribune d'écrivain à celle d'homme politique. Défenseur des grandes causes sociales et d'un idéal démocratique, il multiplie les messages d'humanité, de justice et de pitié ; il jouit d'une immense popularité. Fidèle à ses convictions humanitaires, il condamne sans appel la répression qui fera suite au soulèvement de la Commune (1871).

1874-1885

Quatrevingt-treize (roman, 1874), *L'Art d'être grand-père* (poésie, 1877) sont publiés. Précédé dans la mort par Juliette Drouet (1883), Victor Hugo s'éteint à l'âge de quatre-vingt-trois ans, le 22 mai 1885, d'une congestion pulmonaire. Le 1er juin, une foule immense assiste à des funérailles nationales. Ses cendres sont déposées au Panthéon.

*Les Romains échevelés à la première représentation d'*Hernani*, gravure de J. Granville, 1830, Paris, Musée Victor Hugo.*

CONTEXTES

Le cadre historique : coups de théâtre sur la scène politique

En l'espace de trente ans, la France connaît trois régimes successifs : une époque héroïque, l'Empire ; une période de réaction, la Restauration ; une phase de libéralisme, la monarchie de Juillet. Parallèlement à sa quête du régime politique idéal, le pays se métamorphose, donnant naissance à la société industrielle : essor des villes, productivité, émergence des masses prolétaires, misère ouvrière.

L'Empire : l'« épopée » napoléonienne

Alors que s'achève le XVIIIe siècle, la Révolution française aboutit au coup d'État de Bonaparte du 18 brumaire an VIII (9 novembre 1799). Devenu Premier consul, l'ancien général rétablit l'ordre et réorganise la France sur le principe d'une centralisation du gouvernement et des administrations.

Pourtant le sacre de Napoléon (2 décembre 1804) et la proclamation de l'Empire inaugurent pour la France et l'Europe une période de plus de dix années de guerres. De victoires en défaites, les guerres napoléoniennes finissent par livrer le pays aux troupes étrangères. Napoléon est vaincu et les alliés européens redonnent le pouvoir aux Bourbons en installant Louis XVIII sur le trône. La période du Premier Empire marquera profondément la première moitié du XIXe siècle qui gardera longtemps la nostalgie d'une grandeur et d'un prestige disparus avec Napoléon.

La Restauration et la monarchie de Juillet : la royauté à l'épreuve du libéralisme

Deux souverains se succèdent sous la Restauration : Louis XVIII (en 1814) et Charles X (en 1824). Sous leurs règnes, les forces conservatrices cherchent à limiter les libertés constitutionnelles. En 1830, les *Trois Glorieuses* (nom donné au soulèvement de Paris des 27, 28 et 29 juillet) entraînent la chute des Bourbons. C'est le début de la monarchie de Juillet : Louis-Philippe d'Orléans devient roi avec la bénédiction de la bourgeoisie libérale conduite par Thiers.

Le cadre culturel et littéraire : le romantisme en effervescence

Avec la Révolution, la tradition classique perd son autorité fondée sur les valeurs de l'Ancien Régime. Sur un plan littéraire, le romantisme réalise sa propre révolution en proclamant la liberté de l'écrivain et la toute-puissance du génie individuel. Parallèlement, la culture s'ouvre au « grand public ».

1800-1820 : le préromantisme

Au début du XIXe siècle, sous la double impulsion de la Révolution française et du romantisme étranger (Allemagne, Angleterre), le paysage culturel et littéraire en France est en pleine mutation. Posant ses marques, le romantisme français, précédé de ce qu'il est convenu d'appeler le préromantisme, s'installe dans la pensée et dans l'art.

Faisceau de tendances, de thèmes et d'idées, alors même que continue à régner l'ordre classique, le préromantisme annonce un ordre nouveau sans jamais se constituer en doctrine. Deux écrivains, opposants au régime impérial, représentent alors l'esprit nouveau

qui aboutira à une école : Chateaubriand (1768-1848) et Mme de Staël (1766-1817).
– Sous l'influence déterminante de Chateaubriand (*René*, *Génie du christianisme,* 1802), on assiste à une renaissance spirituelle et religieuse de tendance conservatrice. Pourtant, s'il développe le sentiment chrétien, Chateaubriand introduit aussi dans ses œuvres les thèmes novateurs de la mélancolie, du rêve et du vague des passions traduisant la sensibilité d'un début de siècle qui a perdu ses repères.
– Sous l'influence de Mme de Staël (*De la littérature,* 1800 ; *De l'Allemagne,* 1810) qui s'est nourrie du romantisme étranger (Goethe, Schiller, Byron, Manzoni), émerge un refus de l'ordre classique, une exigence impérieuse de liberté dans la pensée et dans l'art. Ces deux tendances (un certain conservatisme et le rejet de l'ordre classique) vont se fondre sous l'impulsion de jeunes artistes fervents qui accompliront la révolution romantique dans les arts et la littérature.

1820-1830 : le triomphe du romantisme

Vers 1824, une partie de la jeunesse romantique (Hugo, Vigny, Musset, Lamartine, Nerval, Dumas, Balzac...) se regroupe en une sorte de cercle appelé Cénacle (à l'origine, ce terme désigne la salle où eut lieu la Cène, puis où les disciples de Jésus-Christ reçurent le Saint-Esprit). À l'Arsenal, autour de l'écrivain Charles Nodier qui vient d'être nommé bibliothécaire, ces écrivains romantiques rédigent une revue mensuelle, *La Muse française*, où ils développent des théories plutôt conservatrices si on les compare à celles défendues à la même époque par le journal *Le Globe* représentant la tendance libérale de la jeunesse romantique (Stendhal, Sainte-Beuve, Mérimée).

À partir de 1827, le glissement de Victor Hugo et de Chateaubriand vers le libéralisme favorise la réconciliation entre les deux groupes. C'est alors que se crée autour de Victor Hugo un autre Cénacle turbulent et contestataire dont les membres seront appelés à occuper les devants de la scène littéraire et artistique durant les décennies à venir : Nodier, Vigny, Musset, Gautier, Sainte-Beuve, Dumas, le peintre Delacroix... C'est à cette époque que Victor Hugo s'impose comme le chef de file des romantiques après la *Préface* de *Cromwell* (1827) et la bataille d'*Hernani* (1830) qui signent la victoire du drame romantique sur la tragédie classique et, plus largement, la mise en place du nouvel ordre romantique dans la littérature et dans les arts.

Victor Hugo sur le rocher des proscrits, par Flameng.

Le théâtre au début du XIXe siècle : le terrain de la bataille romantique

Avant la *Préface* de *Cromwell* s'expriment déjà des thèmes, des idées et des mots d'ordre romantiques, mais on ne peut toujours pas parler d'école romantique. Menacé, l'ordre classique subsistera tant que ne lui sera pas opposé une doctrine en bonne et due forme. Certes, l'essai de Stendhal, *Racine et Shakespeare* (1823-1825), considéré parfois comme le premier manifeste du romantisme, défend la liberté du drame shakespearien, refuse le carcan des unités et privilégie l'action. Mais il ne propose pas véritablement de doctrine. C'est en 1827 que la *Préface* de *Cromwell* s'impose comme le texte canonique de l'esthétique romantique.

Le mélodrame ou le théâtre pour tous

C'est d'abord autour du théâtre que s'est défini le mouvement romantique. Le théâtre constitue alors le grand genre, une tribune à partir de laquelle un poète peut exprimer sa vision et imposer sa pensée.

Avatar du drame bourgeois tel qu'il a été défini par Diderot dans les *Entretiens sur le fils naturel* (1753), le mélodrame règne sur la scène française tandis que se confirme le déclin de la comédie et de la tragédie, genres paralysés par les conventions du théâtre classique. Désormais, le théâtre n'est plus réservé à une élite cultivée. Par la liberté de son inspiration et de sa conception, le drame romantique, ouvert à la modernité, séduit un public populaire qui adore le romanesque, le pathétique et l'aventure.

Le Drame romantique :
l'émergence de l'action et des émotions fortes

S'inspirant du théâtre allemand et plus encore du drame shakespearien, le drame romantique se définit par opposition au théâtre classique.

Il repose sur une série de principes dont certains sont empruntés au mélodrame :

– La suppression des conventions classiques : les unités de temps et de lieu ne sont plus respectées, l'unité d'action est remplacée par l'unité d'ensemble. Les confidents disparaissent au profit de longs monologues récités sur scène.

– Le mélange des genres : comme dans la vie, on mêle le tragique au comique, le sublime au grotesque.

– Le mépris de la vraisemblance et de la bienséance.

– L'emprunt des sujets à l'histoire moderne plutôt qu'à l'Antiquité.

– La peinture de la réalité : on privilégie la couleur locale, les décors et les costumes authentiques.

– L'exaltation des sentiments et des effets (pathétiques, dramatiques, comiques).

Les champions du drame romantique :
Hugo, Musset, Dumas, Vigny

De 1827 à 1843, le drame romantique prolifère. De cette production abondante et inégale, on retiendra quelques titres passés à la postérité : *Henri III et sa Cour,* drame historique d'Alexandre Dumas, triomphe en 1829, mais *Hernani*, en 1830, donne la formule définitive du drame romantique. Toutefois, c'est *Ruy Blas*, drame en vers de Hugo, qui réalise le mélange des genres prôné dans la *Préface* de *Cromwell.* Le drame romantique sera illustré par d'autres œuvres majeures, notamment les pièces d'Alfred de Musset : *Les Caprices de Marianne* (1833), *Lorenzaccio* et *On ne badine pas avec l'amour* (1834), ainsi que celles d'Alfred de Vigny : *Othello* (1829) et *Chatterton* (1835). En 1843, l'échec des *Burgraves* marque à la fois la fin de la création dramatique chez Hugo et l'épuisement du genre, miné par ses excès. Pourtant, les feuilletonistes de la seconde moitié du XIXe siècle (Alexandre Dumas, Eugène Sue, Ponson du Terrail) tireront profit d'un art déchu en lui empruntant de multiples traits.

La *Préface* de *Cromwell* dans l'œuvre de Hugo

Victor Hugo est déjà célèbre avant la parution de sa *Préface* en 1827 : ce jeune poète de vingt-cinq ans a notamment publié les *Odes*, les *Nouvelles Odes* et *Hans d'Islande*. Désireux de jouer un rôle majeur dans la littérature de son siècle, il ne peut s'imposer que par la scène. En effet, depuis la publication des *Méditations poétiques* (1820), Lamartine règne sur la poésie. Quant au roman, il n'est pas classé dans les grands genres.

La *Préface* de *Cromwell* joue dans l'œuvre de Victor Hugo le rôle d'un détonateur. Non seulement elle lance sa carrière d'auteur dramatique, mais elle fait de lui à la fois un prophète qui ouvre la voie aux écrivains contemporains et un rassembleur qui synthétise et traduit les tendances et les idées de son siècle. À partir de 1827 et jusqu'à la fin de son existence, Victor Hugo gardera ce prestigieux statut.

Sur le plan littéraire, la *Préface* lui permet de mettre au clair ses idées. Remarquable exercice d'argumentation soutenu par un double registre lyrique et épique, elle constitue l'archétype des préfaces, articles de presse et discours qui jalonneront sa carrière d'écrivain et d'homme politique.

Vie	Œuvres
1802 Naissance de Victor Hugo.	
1816 Élève au lycée Louis-le-Grand.	
1818 Commence des études de droit. Divorce de ses parents.	
1820 Reçoit une pension du roi pour une ode. Rencontre Chateaubriand.	
1821 Mort de sa mère.	
1822 Mariage avec Adèle Foucher.	1822 *Odes et poésies diverses.*
1824 Naissance de sa fille Léopoldine.	
	1826 *Odes et Ballades.*
1827 Chef de file du Cénacle romantique.	1827 *Cromwell.*

Événements culturels et artistiques	Événements politiques
1802 *Génie du christianisme,* Chateaubriand.	1802 Bonaparte consul à vie.
	1804 Sacre de Napoléon. 1805 Guerres napoléoniennes jusqu'en 1815.
1810 *De l'Allemagne,* Mme de Staël.	1815 Défaite de Waterloo. Restauration. Louis XVIII au pouvoir.
1816 *Adolphe,* Benjamin Constant.	
1819 Création de la revue *Le Conservateur* dont Hugo est l'un des fondateurs. *Le Radeau de la Méduse,* Géricault. 1820 *Méditations poétiques,* Lamartine.	
	1821 Mort de Napoléon.
1822 *Poèmes,* Vigny. *La Barque de Dante,* Delacroix. 1823 *Racine et Shakespeare,* Stendhal. Invention de la photographie.	1822 Loi sur la liberté de la presse.
	1824 Mort de Louis XVIII. Règne de Charles X.

TABLEAU CHRONOLOGIQUE

Vie	Œuvres
	1829 *Les Orientales ;* *Le Dernier Jour d'un condamné,* *Marion Delorme* (interdit).
	1830 *Hernani.*
	1831 *Notre-Dame de Paris.* *Les Feuilles d'automne.*
	1832 *Le roi s'amuse* (interdit).
1833 Rencontre avec Juliette Drouet, amie et amante d'une vie.	
	1838 *Ruy Blas.*
1841 Élu à l'Académie française.	
1843 Mort accidentelle de Léopoldine et de son mari.	1843 *Les Burgraves* (échec).
1848 Élu député.	
1851 Hugo se réfugie à Bruxelles.	1851 *Napoléon le Petit.*
1852 Exil à Jersey.	

Événements culturels et artistiques	Événements politiques
1829 *Henri III et sa Cour,* Dumas.	
1830 *Le Rouge et le Noir,* Stendhal ; *La Liberté guidant le peuple,* Delacroix.	1830 Révolution de juillet (les Trois Glorieuses). Monarchie de Juillet : règne de Louis-Philippe.
1831 *Antony,* Dumas ; *La Peau de chagrin,* Balzac. 1832 Mort de Goethe et de Walter Scott. 1833 *Lélia,* George Sand ; *Eugénie Grandet,* Balzac ; *La Marseillaise* (sculpture), Rude. 1834 *Lorenzaccio,* Musset ; *Le Père Goriot,* Balzac. 1835 *Chatterton,* Vigny ; *Kean,* Dumas. 1837 *Oliver Twist,* Dickens.	
1842 *Les Mystères de Paris,* Eugène Sue.	
1848 *La Dame aux camélias,* Dumas fils ; *Mémoires d'outre-tombe,* Chateaubriand.	1848 Révolution de février. Proclamation de la IIe République. 1851 2 décembre : coup d'État de Louis Napoléon Bonaparte.
1852 *Émaux et Camées,* Gautier ; *Poèmes antiques,* Leconte de Lisle.	1852 Début du Second Empire avec Napoléon III.

Vie	Œuvres
	1853 *Les Châtiments.*
1855 S'installe à Guernesey.	
	1856 *Les Contemplations.*
1859 Refus de l'amnistie.	1859 *La Légende des siècles* (1re série).
	1862 *Les Misérables.*
	1864 *William Shakespeare.*
	1866 *Les Travailleurs de la mer.*
1868 Mort de sa femme, Adèle Hugo.	
	1869 *L'homme qui rit.*
1870 Hugo rentre à Paris.	
1871 Élu député.	
	1874 *Quatrevingt-treize.*

Événements culturels et artistiques	Événements politiques
	1853 Haussmann, préfet de la Seine.
1854 *Les Filles du feu,* Nerval.	
1856 *Madame Bovary,* Flaubert.	
1859 *Tristan et Isolde,* Wagner.	1859 Napoléon III accorde l'amnistie aux condamnés politiques.
1862 *Salammbô,* Flaubert ; *Poèmes en prose,* Baudelaire ; *Poèmes barbares,* Leconte de Lisle.	
1863 *Le Déjeuner sur l'herbe,* Manet.	
1864 *Grand Dictionnaire universel du XIXe siècle,* Larousse ; *Les Destinées,* Vigny.	
1866 Premier Parnasse contemporain (recueil collectif de poèmes) ; *Poèmes saturniens,* Verlaine ; *Crime et châtiment,* Dostoïevski.	
1869 *L'Éducation sentimentale,* Flaubert ; *Fêtes galantes,* Verlaine.	1869 Guerre franco-allemande.
1870 *Le Déjeuner sur l'herbe,* Cézanne.	1870 Défaite de la France à Sedan. Début de la IIIe République.
1871 Début du cycle des *Rougon-Macquart,* Zola.	1871 Soulèvement populaire de la Commune.
1873 *Une saison en enfer,* Rimbaud.	
1874 Exposition des impressionnistes.	
1876 *L'Après-midi d'un faune,* Mallarmé ; *Le Moulin de la Galette,* Renoir.	

Vie	Œuvres
	1877 *La Légende des siècles* (2e série) ; *L'Art d'être grand-père.*
1883 Mort de Juliette Drouet.	1883 *La Légende des siècles* (3e série).
1885 Mort (22 mai). Ses cendres sont tranférées au Panthéon.	

TABLEAU CHRONOLOGIQUE

ÉVÉNEMENTS CULTURELS ET ARTISTIQUES	ÉVÉNEMENTS POLITIQUES
1877 *Trois Contes,* Flaubert ; *L'Assommoir,* Zola.	
1880 Mort de Flaubert ; *Boule-de-Suif,* Maupassant.	1880 Lois scolaires de Jules Ferry. Le 14-Juillet devient fête nationale.
1881 *Sagesse,* Verlaine.	
1883 *Une vie,* Maupassant ; *Ainsi parlait Zarathoustra,* Nietzsche.	
1885 *Bel-Ami,* Maupassant ; *Germinal,* Zola.	

« Léopoldine au livre d'heures », par Auguste Chatillon, 1835, Maison de Victor Hugo, Paris.

GENÈSE DE L'ŒUVRE

Victor Hugo n'est pas, à proprement parler, le créateur du drame romantique. Il exprime dans la *Préface* de *Cromwell* des idées largement répandues dans les milieux romantiques et résume, sous la forme d'un manifeste, des doctrines préalablement expérimentées ou énoncées avec plus ou moins de bonheur par lui-même et par d'autres.
Globalement, les romantiques contestent :
– la séparation des genres ;
– la règle des trois unités ;
– l'étroitesse de l'inspiration ;
– des sujets conventionnels ;
– la paralysie du style ;
– la rigidité du vers.
Ils préconisent :
– l'expression libre du génie poétique ;
– la réunion du pathétique et du grotesque ;
– le mélange des tons, du sublime et du familier ;
– le mépris de la vraisemblance au profit de la vérité et du réel.

Sources et influences

L'héritage du mélodrame

Hugo est attiré par les libertés qu'affiche ce genre à la mode, fondé à la fois sur le romanesque des situations et sur des effets dramatiques puissants et faciles. Pourtant, il veut s'en démarquer par la qualité de l'écriture. En outre, si l'inspiration historique du mélodrame le séduit, il veut s'élever au-dessus d'une conception superficielle et anecdotique de l'Histoire pour lui rendre sa noblesse et sa signification philosophique.

Des modèles venus de l'étranger et des courants d'idées véhiculés par les premiers romantiques

Mouvement européen, le romantisme apparaît en Allemagne et en Angleterre avant de percer en France où, popularisé par Mme de Staël, il se nourrit des tendances apparues dès la fin du XVIIIe siècle dans les œuvres de Jean-Jacques Rousseau, de l'abbé Prévost et de Bernardin de Saint-Pierre et au début du XIXe siècle chez Chateaubriand.

Comme tous les jeunes écrivains contemporains, Victor Hugo baigne dans les idées issues de ces multiples croisements.

• *L'influence anglaise*

– Shakespeare (1564-1616) : Hugo a lu les drames de cet auteur et, comme ses contemporains, a été enthousiasmé par les représentations qui en ont été données à Paris par les comédiens anglais. En outre, la *Notice biographique et littéraire sur Shakespeare* (1821) de Guizot, un libéral modéré, contient déjà de nombreuses idées de la *Préface*.

– Walter Scott (1771-1832) : à l'instar de ce romancier anglais, très prisé des écrivains préromantiques, Victor Hugo veut peindre non seulement une crise historique, mais aussi son environnement social et politique ainsi que le conflit individuel dans lequel est pris le héros.

– Byron (1788-1824) : cette incarnation de la sensibilité romantique en Angleterre influence profondément les jeunes écrivains français avec le *Pèlerinage de Childe Harold* (1812), récit de voyage sous la forme d'un poème en quatre chants marqué par la théâtralité romantique. Byron rénove le mythe de Don Juan dans *Don Juan* (1819-1824) en se faisant le défenseur de l'amour libre.

• *L'influence allemande*
Les drames de Schiller (1759-1805), *Les Brigands* (1781), *Don Carlos* (1787), *Marie Stuart* (1800), *La Pucelle d'Orléans* (1801), *Guillaume Tell* (1804), où le ton déclamatoire côtoie le pathétique et le sublime, sont pour Victor Hugo des modèles d'un genre libéré des contraintes classiques ; il en est de même du *Faust* (1re partie, 1808) de Goethe (1749-1832) qui incarne dans ses drames l'idéal romantique du *Sturm und Drang* (« orage et assaut »).

• *L'influence espagnole*
Victor Hugo puise dans la littérature espagnole le goût de la couleur locale, des passions fortes, du mélange des genres, des antithèses. Les *Romanceros*, recueils de courts poèmes au sujet historique, légendaire ou sentimental, imprimés en Espagne à partir de 1550, tout comme l'auteur dramatique Guillén de Castro (1569-1631) célèbre pour sa pièce *Las Mocedades del Cid (Les Enfances du Cid)* qui inspira Corneille, constituent pour lui et pour la jeunesse romantique des exemples précieux. Lope de Vega (1562-1635), poète et auteur dramatique prolixe qui, dès 1609, préconise dans son *Arte nuevo de hacer comedias (Nouvel Art dramatique)* de mêler le tragique et le comique, offre également aux jeunes auteurs une source d'inspiration inépuisable.

• *L'influence italienne*
La *Lettre sur l'unité de temps et de lieu de la tragédie* (1823), où Manzoni répudie les unités de temps et de lieu, joue un rôle essentiel dans l'histoire du drame romantique même si son auteur se révèle dans ses propres œuvres un romantique du « juste-milieu ».

• *L'influence française*
– Victor Hugo se nourrit des œuvres de Chateaubriand (*Génie du christianisme,* 1802) qui défend le principe du génie créateur et de la sensibilité individuelle contre la création encadrée.
– Mme de Staël (1766-1817) constitue aussi une source d'inspiration : son essai *De l'Allemagne* (1810) contient quelques-unes des positions de Victor Hugo telles que le christianisme conçu comme une source essentielle d'inspiration poétique et de renouvellement littéraire, ou encore le parallèle établi entre l'antiquité païenne et le christianisme. De plus, cet ouvrage, en révélant les beautés et les nouveautés des littératures étrangères (notamment de la littérature allemande), a ouvert des perspectives aux Français qui pensaient jusque-là détenir l'exclusivité du goût littéraire. C'est également Mme de Staël qui, en 1813, fera connaître le *Cours de littérature dramatique* (1808) dans lequel le critique littéraire allemand Schlegel (1767-1845) fustige les contraintes de l'art dramatique classique à la française.
– L'opuscule *Racine et Shakespeare* (1823), où Stendhal se refuse à admettre le beau en soi, où il proclame qu'il faut se prononcer en faveur de Shakespeare et contre Racine, pour une poésie de la passion contre les canons de l'art classique, constitue l'une des bases théoriques de la *Préface*.

Le rôle paradoxal de la censure

L'opposition des officiels au romantisme jugé subversif stimule des attitudes antigouvernementales, même chez les jeunes monarchistes. La *Préface* de *Cromwell* est une réponse à la censure théâtrale exercée par le pouvoir tandis que s'opère un glissement vers une revendication plus large : en réclamant un théâtre ouvert sur les réalités du monde contemporain, la jeunesse romantique défend le principe même de liberté.

La rédaction et la publication de la *Préface*

Victor Hugo rédige la *Préface* après le texte de *Cromwell*. Dans les faits, l'expérience précède donc la mise au point théorique et la nourrit : la *Préface* est en fait une postface.

Drame en 6 413 vers, *Cromwell* présente à la fois une fresque historique de l'Angleterre de 1657 et le drame d'un grand homme que poursuit la malédiction du régicide qu'il a commis sur la personne de Charles Ier. Du fait de sa conception (peinture minutieuse de l'époque, soixante-deux personnages), la pièce se révélera injouable : elle ne sera jamais présentée au théâtre. Mais Hugo rêvera toujours d'« extraire de ce drame une pièce qui se hasarderait alors sur la scène ».

La rédaction du drame et de la *Préface* couvre un peu plus d'une année, avec toutefois quelques mois d'interruption pour le cinquième acte :

– 6-24 août 1826 : acte I (1 020 vers) ;
– 31 août-20 septembre : acte II (1 300 vers) ;
– 22 septembre-9 octobre : acte III (plus de 1 700 vers) ;
– 11-25 octobre : acte IV (presque 1 000 vers).

Si la rédaction des quatre premiers actes semble avoir

été facile (environ dix-huit jours de travail pour chacun), celle du cinquième acte est plus lente et plus accidentée, ce qui traduit peut-être chez Hugo une certaine difficulté à trouver le dénouement de sa pièce : 500 vers du 28 octobre au 3 novembre et du 9 décembre au 1er janvier 1827 ; une vingtaine de vers en février, puis reprise du manuscrit en mars et en août. C'est en août 1827 que le dernier acte est achevé. Au début du mois d'octobre, Hugo écrit la *Préface* qu'il lit à ses amis (dont Nodier, Dumas, Vigny, Musset) courant novembre, soulevant leur enthousiasme.

Le manuscrit de la *Préface* « paraît écrit au courant de la plume, d'une seule venue : il donne l'impression d'un travail composé rapidement, sur des souvenirs qui se fondent d'eux-mêmes dans la tête de l'écrivain, et non sur des mots laborieusement soudés les uns aux autres. Les nombreuses retouches de détail qu'il présente sont surtout des corrections de style » (Maurice Souriau, *La Préface de Cromwell,* éd. Slatkine, 1973).

La réception

Dès sa parution en décembre, la *Préface* est considérée comme le manifeste attendu de la révolution littéraire et Victor Hugo comme le Bonaparte de la littérature. Mais la presse ne partage pas les transports du Cénacle. S'intéressant bien plus à la *Préface* qu'à la pièce, les critiques engagent une violente polémique contre Victor Hugo. *La Gazette de France* éreinte « le jeune poète modeste devenu un professeur jetant avec fierté ses préceptes à un auditoire absent ». Le contenu de la *Préface* autant que sa forme sont jetés aux orties. Pourtant, parmi les collègues de Victor Hugo, se font entendre des voix plus amicales comme celle de Soumet, auteur de plusieurs tragédies : « Quoique dans votre *Préface* vous nous traitiez de mousses et de lierres rampants, je n'en rendrai pas moins justice à votre admirable talent et je parlerai de votre œuvre michelangelesque comme je parlais autrefois de vos *Odes.* »

La postérité

La *Préface* aura raison de la tragédie en ouvrant une voie royale – quoique limitée dans le temps – au genre du drame romantique. Outre Victor Hugo, nombre d'auteurs dramatiques, dont Vigny, Dumas, Musset, donneront à ce nouveau genre des œuvres innombrables que l'histoire littéraire classera, tantôt dans la liste des chefs-d'œuvre (Musset, *Lorenzaccio,* 1834), tantôt dans celle des échecs (Victor Hugo, *Les Burgraves,* 1843).

Les effets du manifeste se feront sentir jusque dans *Cyrano de Bergerac* (1897) d'Edmond Rostand, dernier survivant d'un genre représentatif de la sensibilité romantique.

Par sa jeunesse, par son éclat révolutionnaire et par son enthousiasme à détruire l'ordre établi, la *Préface* n'est pas sans rappeler, dans la chaîne des grandes révolutions littéraires, la *Défense et illustration de la langue française* lancée au XVIe siècle par le groupe de la Pléiade et les deux *Manifestes du surréalisme* d'André Breton qui, au début du XXe siècle, feront éclater les cadres établis de la littérature.

PREMIÈRE PARTIE
JUSTIFICATION DE LA *PRÉFACE*

REPÈRES

- « Le drame qu'on va lire » : expliquez cette référence.
- Repérez les noms, pronoms, adjectifs possessifs et périphrases par lesquels le locuteur apparaît dans le texte.
- Qui est désigné par le pronom « on » dans le sixième paragraphe ?
- Quelle différence faites-vous entre un « réquisitoire » et un « plaidoyer » ?

OBSERVATION

- Quelle est l'opinion de Victor Hugo sur les préfaces ? Analysez ses observations.
- À quelles motivations obéit finalement Victor Hugo lorsqu'il se résout à écrire sa *Préface* ?
- Quel intérêt présente la comparaison du drame avec les fondements d'un édifice ?
- « Dans cette flagrante discussion… à défaut de science » (p. 9) : relevez les termes argumentatifs. Quelle image Hugo cherche-t-il à donner de lui ? Expliquez son attitude.
- Relevez les déclarations d'indépendance : en quoi programment-elles la *Préface* ?
- Quel sera le contenu de la *Préface*, d'après les déclarations de l'auteur ?
- Relevez un trait d'ironie : quelle en est la cible ? Dans quel registre cette ironie inscrit-elle le texte ?
- Expliquez l'image de la pierre et de la fronde dans l'avant-dernier paragraphe.

EXAMEN MÉTHODIQUE

INTERPRÉTATIONS

- Analysez l'utilité de ce préambule : quelles informations clés donne-t-il au lecteur, à la fois sur la personnalité du locuteur et sur ses prises de position dans le monde littéraire ?
- Par quels aspects ce préambule est-il à la fois offensif et défensif ?

DE LA LECTURE À L'ÉCRITURE

- **Objectif** : s'entraîner à l'argumentation.
- **Sujet** : Quel intérêt la lecture d'une préface présente-t-elle ? Expliquez votre point de vue dans un développement argumentatif fondé sur votre expérience personnelle et illustré par des exemples précis. Vous mettrez en évidence les articulations de votre réflexion par un emploi avisé des connecteurs logiques.

DEUXIÈME PARTIE
LA THÉORIE DES TROIS ÂGES

REPÈRES

• Dans le premier paragraphe (« partons d'un fait... modernes »), repérez l'annonce du plan en trois parties.
• Comparez les proportions respectives des trois parties : quelle place le développement sur le grotesque (troisième partie) occupe-t-il ?

OBSERVATION

• Dégagez la thèse défendue par Victor Hugo. Quel lien ce dernier établit-il entre l'histoire humaine et l'histoire littéraire ?
• Relevez les indices de la narration (temps verbal dominant, indices chronologiques) et précisez le choix de l'énonciation : sous quelle forme Hugo apparaît-il dans le récit ?

Les temps primitifs (p. 10-11)
• Caractérisez les temps primitifs à partir du champ lexical dominant. Quelle forme littéraire correspond à cette période ?

Les temps antiques (p. 11-15)
• Qui est alors le représentant unique de l'épopée ? Quelles sont, d'après l'auteur, les caractéristiques épiques de la tragédie antique ?

Les temps modernes (p. 15-39)
• Comment, selon Victor Hugo, le christianisme génère-t-il la mélancolie ? Relevez, dans les pages 17 à 19, les termes et les phrases par lesquels Hugo explique ce mécanisme.
• Analysez le paragraphe suivant : « Dès que ce monde fut mort... à disséquer » (p. 19) : par quels choix d'écriture l'auteur lui donne-t-il une force argumentative particulière ?

Examen méthodique

- Caractérisez les registres du passage suivant : « Le christianisme amène la poésie à la vérité... Tout se tient » (p. 20-21). Comment soutiennent-ils la thèse exprimée ?
- « Enfin... il est ! » (p. 22) : à qui Hugo s'adresse-t-il ? Relevez et analysez un trait d'ironie.
- Quel rôle l'accumulation des exemples et des références dans les pages consacrées au grotesque (p. 23-27) joue-t-elle ?
- Quel auteur symbolise le drame aux yeux de Victor Hugo ?

Interprétations

- Hugo réduit les temps antiques à l'épopée. Or il existe de nombreuses œuvres de la littérature antique qui ne relèvent pas de l'épopée (ex. : la poésie de Pindare, la tragédie de Sophocle ou d'Euripide). De même, il affirme que « la poésie épique expire avec Virgile », ce qui est inexact. Que révèlent ces « oublis » chez l'auteur ?
- Qu'est-ce que le grotesque et à quel genre dramatique est-il associé ? En quoi s'oppose-t-il fondamentalement à la doctrine classique ?
- Hugo stipule : « Nous sommes historiens et non critiques ». Commentez cette assertion à la lumière du texte.

De la lecture à l'écriture

- **Objectif** : s'entraîner au discours explicatif.
- **Sujet** : En vous fondant sur l'exposé de Victor Hugo, expliquez en quoi consiste le grotesque en littérature. Vous sélectionnerez dans le texte les exemples les plus pertinents, susceptibles d'illustrer et de soutenir votre explication. Vous adopterez les procédés usuels du discours explicatif : registre didactique caractérisé notamment par les connecteurs logiques, les subordonnées de cause et le vocabulaire technique.

TROISIÈME PARTIE
LA THÉORIE DU DRAME

REPÈRES

• Repérez les cinq parties suivantes : mélange des genres, règle des unités, imitation, drame et nature, couleur locale.

OBSERVATION

• Commentez la phrase : « qu'on nous permette... » (p. 39). Quelle démarche suggère-t-elle ?

Le mélange des genres (p. 40-44)
• Quels arguments Hugo avance-t-il successivement en faveur du mélange des genres ? Parmi les écrivains classiques, qui trouve grâce à ses yeux, et qui reste le modèle suprême ?

Les unités (p. 44-53)
• Quels reproches Hugo adresse-t-il aux unités ? Analysez la validité de ses arguments. Relevez et commentez les questions rhétoriques, les réfutations, les concessions : qu'apportent ces procédés sur le plan argumentatif ?
• Qu'est-ce que « l'unité d'ensemble » d'après Hugo ? Accepte-t-il ici une règle ?

L'imitation (p. 53-55)
• Sur la question de l'imitation, quels problèmes Hugo pose-t-il successivement ? Relevez une phrase qui résume sa position.

La liberté dans l'art (p. 55-58)
• Analysez le développement sur la liberté dans l'art : par quels procédés d'écriture le discours poétique se substitue-t-il au raisonnement ? Que revendique l'auteur et par quels arguments soutient-il sa thèse ?

Examen méthodique

L'art et la nature (p. 58-60)

• Quels rapports l'art doit-t-il entretenir avec la nature ? Quel est le rôle de la « baguette magique de l'art » ? Par quel mécanisme le drame devient-il « un miroir de concentration » et que réfléchit-il ?

La couleur locale (p. 61-62)

• Comment Hugo définit-il « la couleur locale » ? En quoi est-elle un remède au « commun » ?

Interprétations

• Selon quelle progression les principes du drame romantique se mettent-ils ici en place ? Résumez les prises de position de Victor Hugo et montrez ce qu'elles ont de dérangeant pour les tenants du classicisme.

• Quelle place le génie tient-il dans le drame tel que le conçoit Victor Hugo ?

De la lecture à l'écriture

• **Objectif** : s'entraîner au dialogue argumentatif et à la parodie.

• **Sujet** : Victor Hugo et ses détracteurs (« les douaniers de la pensée ») s'opposent sur la question de la règle des trois unités. Développez leur dialogue argumentatif en prenant soin de parodier les deux parties, c'est-à-dire de reproduire à la fois leurs arguments et leur forme de discours.

TROISIÈME PARTIE
LA THÉORIE DU DRAME (SUITE)

REPÈRES

• En citant vos repères, distinguez les parties respectivement consacrées au vers et à la langue.
• Dans le développement sur le vers, séparez la partie polémique contre Delille de celle consacrée à la défense du vers.

OBSERVATION

• À qui s'adresse successivement Hugo dans le paragraphe suivant : « Nous n'hésitons pas... se redresser » ? (p. 62). Relevez les mots ou phrases montrant qu'il se justifie avant de se poser en chef de file et en visionnaire.
• Relevez les termes polémiques par lesquels Hugo s'en prend à Delille : que lui reproche-t-il exactement ? Analysez plus précisément ses attaques concernant le grotesque, la tirade, la périphrase, le style.

Le vers (p. 62-70)
• Quels arguments Hugo présente-t-il en faveur du vers ? Sur quel exemple s'appuie-t-il ? Montrez que l'image soutient l'argumentation.
• Repérez les procédés oratoires dans le paragraphe suivant : « Que si nous avions le droit... » (p. 69). Quel est le vers idéal pour Hugo ?
• Pourquoi Hugo se méfie-t-il de la prose (« On sent que la prose... ») ?

La langue (p. 70-72)
• Quelle différence l'auteur fait-il entre « la correction toute de surface » et la « correction intime, profonde, raisonnée » ?
• « Une langue ne se fixe pas » : expliquez ce point de vue en vous référant au texte.

Examen méthodique

Interprétations

• Comparez l'alexandrin romantique tel que le définit Hugo à l'alexandrin classique.
• Résumez la théorie linguistique de Victor Hugo dans la dernière partie.

De la lecture à l'écriture

• **Objectif** : commenter un extrait du texte.
• **Sujet** : Réalisez le commentaire du paragraphe consacré à la langue (« Au demeurant... langue morte », p. 70-71). Vous vous attacherez à dégager les principales idées de l'auteur sur la langue. Votre analyse fera apparaître la singularité du texte à partir d'un relevé des indices de l'argumentation.

QUATRIÈME PARTIE
RÉFLEXIONS SUR LA PIÈCE DE *CROMWELL*

REPÈRES

• Mettez en évidence la progression en cinq parties auxquelles vous donnerez un titre.

OBSERVATION

• Clarifiez, d'après les arguments d'Hugo, les liens entre la *Préface* et le drame de *Cromwell*. En vous appuyant sur les éléments significatifs du texte, expliquez la répugnance de l'auteur à parler de la pièce.
• Nommez et classez les figures de style dans le portrait de Cromwell (p. 74-78) : quels aspects du personnage mettent-elles en valeur ?
• Pour quelles raisons Hugo a-t-il choisi ce personnage et cette époque ? Précisez ses arguments. Analysez plus précisément la construction syntaxique du passage « Il a cédé lui, au désir de peindre... de la chronique italienne » (p. 78-79) : quel sentiment de l'auteur traduit-elle ?
• Pourquoi la longueur est-elle nécessaire au drame romantique ? Sur quels exemples Hugo s'appuie-t-il pour justifier ce principe ?
• Expliquez l'expression « le vieux faux goût » à la lumière de la formule : « le goût, c'est la raison du génie ».
• Analysez la valeur du futur dans le paragraphe « Nous touchons... » (p. 86) : quel ton ce temps confère-t-il à ce passage ?
• Définissez la critique idéale selon Hugo en citant les mots-clés de son argumentation.
• Pourquoi la référence à Aristote et à Boileau en guise de conclusion est-elle particulièrement habile ?

EXAMEN MÉTHODIQUE

INTERPRÉTATIONS

• Hugo nie vouloir défendre sa pièce. Quel est donc l'objet de la *Préface* et à qui s'adresse-t-elle précisément ?
• Quel sens attribuez-vous à la dernière phrase et quelle lumière jette-t-elle sur la *Préface* ?

DE LA LECTURE À L'ÉCRITURE

• **Objectif** : s'entraîner à l'argumentation.
• **Sujet** : « De la *Préface* de *Cromwell*, on aimera d'abord l'allure conquérante et dominatrice », a écrit un critique. Justifiez ce point de vue en vous appuyant à la fois sur les idées et sur le style de Victor Hugo. Vous ferez notamment apparaître la hardiesse de sa théorie du drame en l'opposant aux conventions du théâtre classique et vous montrerez la créativité du discours en citant des exemples précis empruntés au texte.

Camille Rogier, 1835, illustration pour Cromwell *de Victor Hugo.*
Maison de Victor Hugo, Paris. Photo © Archives Photeb.

La préface comme détournement d'un genre

Inscrite dans la longue tradition des préfaces qui précèdent la plupart des textes littéraires depuis l'Antiquité, la *Préface* de *Cromwell* n'obéit pas à la loi du genre qui est d'éclairer le lecteur sur les intentions de l'auteur. Avant-texte, elle occupe bien la place réservée aux introductions, mais elle récuse sa mission traditionnelle. Se détournant de sa vocation informative et explicative, elle se métamorphose en un texte argumentatif et polémique pour imposer sur la scène un nouveau genre : le drame romantique.

Structure et contenu de la *Préface* de *Cromwell*

Le schéma de la *Préface* de *Cromwell* met instantanément en évidence le caractère transgressif du texte. En effet, si la première et la dernière partie traitent – entre autres – du drame de *Cromwell*, le développement qui occupe l'essentiel de l'espace textuel (deuxième et troisième partie) répond à un autre projet : il présente et défend la théorie du drame en s'appuyant sur une analyse historique.

- **Première partie**
  Justification de la Préface (p. 7-10)

Partie explicative. La *Préface* expose les « considérations générales sur l'art » d'un « solitaire apprentif » et n'entend pas engager de polémique.

- **Deuxième partie**
  La théorie des trois âges (p. 10-39)

Partie historique qui retrace les trois grandes étapes de la poésie au cours des trois grandes périodes de l'histoire de l'humanité :

a) Les temps primitifs (p. 10-11) caractérisés par le lyrisme. La poésie est l'ode qui s'incarne dans la Genèse.
b) Les temps antiques (p. 11-15), ère du paganisme, caractérisés par l'épopée antique dont le représentant est Homère.
c) Les temps modernes (p. 15-39) caractérisés par le drame, genre à travers lequel s'exprime la sensibilité moderne portant la marque du christianisme, religion spiritualiste qui, selon V. Hugo, engendre la mélancolie, l'analyse et le tourment. Le drame est fondé sur le grotesque. Le maître cité en la matière est Shakespeare.

- **Troisième partie**
  La théorie du drame (p. 39-72)

Partie critique qui met en question le système dramatique classique et propose une définition du drame fondée sur les principes de liberté et de totalité :

a) Le mélange des genres (p. 40-44) : la règle de la distinction des genres est arbitraire et fausse. Elle tombe d'elle-même.
b) L'abandon des unités (p. 44-53) : les unités de lieu et de temps sont absurdes (exemple de l'assassinat poétique de Corneille). Hugo accepte l'unité d'action ou d'ensemble.
c) Le rejet de l'imitation (p. 53-55) et la liberté dans l'art (p. 55-58) : un artiste est un créateur, aussi

doit-il s'affranchir de la tutelle de ses prédécesseurs : « Il n'y a ni règles, ni modèles ».

d) Le drame, miroir de concentration de la nature (p. 58-60) : la poésie ne peut restituer la réalité intégrale. Mais le drame peut refléter le monde à la façon d'un miroir de concentration.

e) La couleur locale (p. 61-62) : « Sous la baguette magique de l'art », le drame sélectionne ce qui est « caractéristique » . Le poète ramène « toute figure (...) à son trait le plus saillant, le plus individuel, le plus précis ».

f) Le vers (p. 62-70) : permet d'éviter « le commun ». Non pas l'alexandrin classique, rigide, mais un vers « libre, franc, loyal, osant tout dire sans pruderie, tout expliquer sans recherche ».

g) Une langue vivante (p. 70-72) : la langue du drame doit être correcte mais aussi souple et créative car « la langue française n'est pas fixée et ne se fixera point ».

• **Quatrième partie**
Réflexions sur la pièce de Cromwell (p. 72-90)

Retour au cas particulier du drame de *Cromwell* :

a) Le lien entre la *Préface* et *Cromwell* : Victor Hugo nie la relation de cause à effet (« La ténuité du nœud qui lie cet avant-propos à ce drame... »).

b) Justification du choix de Cromwell comme héros du drame :
   - Cromwell est « un être complexe, hétérogène, multiple ». Par sa richesse psychologique, il constitue le personnage idéal du drame ;
   - l'Angleterre de l'époque, variée et multiple, garantit la richesse historique.

c) Problème de la représentation : du fait de ses proportions, la pièce est injouable mais elle peut être adaptée sous une version abrégée.
d) Un mot à la critique : Hugo oppose la tyrannie du goût classique au vrai goût. Il fustige l'ancienne critique et se déclare favorable à une critique rénovée « forte, franche, savante, une critique du siècle ».
e) Référence aux grands maîtres du classicisme : dans un tour de passe-passe, Hugo assure ne pas défendre son œuvre et se recommande des grands maîtres de l'art classique, Aristote et Boileau qui, comme lui, valorisent le génie plutôt que la règle.

Première et quatrième parties : où il est question du drame de *Cromwell*

Dans les première et quatrième parties, Victor Hugo semble s'orienter vers une préface traditionnelle. En effet, les premiers mots « Le drame qu'on va lire » annoncent une présentation ou une analyse de la pièce. Or, il n'en est rien : la *Préface* se détourne immédiatement de son propos initial pour se recentrer presque aussitôt sur les raisons qui en ont motivé la rédaction. Dans l'« avant-propos », Hugo évoque ses hésitations puis se place sur un terrain plus général : il ironise sur l'utilité des préfaces qui donnent aux critiques un aliment sur lequel s'acharner et souligne ensuite l'intérêt qu'elles présentent pour le lecteur invité à visiter « les caves d'un édifice », autrement dit à comprendre les fondements d'une œuvre. Ce faisant, il amorce un débat sur l'utilité des préfaces, et se place d'ores et déjà sur le terrain de la controverse.

Suit une déclaration d'intention dans laquelle il se défend de tout dessein didactique ou argumentatif : « *Il [l'auteur] se bornera du reste à des considérations générales sur l'art, sans en faire le moins du monde un boulevard à son propre ouvrage, sans prétendre écrire un réquisitoire ni un plaidoyer pour ou contre qui que ce soit* ». Au lecteur d'apprécier, au vu du corps de la *Préface*, la validité de cette notification.

Dans la quatrième partie, Victor Hugo, réticent, retourne à la pièce : « *Il nous reste à entretenir le lecteur de notre ouvrage, de ce* Cromwell *; et comme ce n'est pas un sujet qui nous plaise, nous en dirons peu de choses de peu de mots.* » Sa répugnance à parler de la pièce constitue un aveu : l'objet de la *Préface* n'est pas de présenter l'œuvre, aussi ne s'y résout-il qu'à contrecœur... avant de s'engager dans une longue digression théorique sur le goût et sur la critique – retour spontané au propos doctrinal. Pour finir, la référence à Aristote et à Boileau, ultime provocation de l'auteur à ses détracteurs – les défenseurs du classicisme –, replace la *Préface* dans son cadre d'origine qui est celui de la polémique.

Comme on le voit, dans les parties de la *Préface* qui sont censées être consacrées au drame de *Cromwell* lui-même, ce dernier, loin de faire l'objet d'une présentation en bonne et due forme, est le prétexte d'un règlement de comptes avec la critique passée et à venir.

Deuxième et troisième partie : où l'on détourne la *Préface*

Établie sur une critique du passé que cherchent à valider les considérations historiques de la théorie des trois âges, la théorie du drame assassine méthodiquement les conventions du théâtre classique (séparation des genres, règles des trois unités, imitation des anciens) mais se pose aussi en doctrine : elle élabore un « art poétique », véritable programme qui traduit la vision de l'écrivain et donne également aux auteurs dramatiques des indications de méthodes et de techniques pour l'établissement d'un nouveau genre. Le drame romantique se construit ainsi sur des principes tout à fait révolutionnaires, à grand renfort de références et d'exemples à valeur argumentative. Sont revendiqués tour à tour : le mélange des genres, le recours au grotesque qui, conformément à la nature, associe le beau et le laid dans l'être humain, la liberté de développer une intrigue dans un temps illimité et dans des lieux multiples, la couleur locale qui garantit le dépaysement du spectateur, et, sur le plan de l'expression, un vers assoupli et une langue libérée.

Dans le corps de la *Préface*, Victor Hugo adopte donc une double démarche : il détruit l'ordre classique pour mieux faire entendre dans le même temps la voix du romantisme. Son propos conquérant s'édifie sur un discours résolument argumentatif (voir L'argumentation dans la *Préface* de *Cromwell*, p. 146) qui ne laisse aucune place au doute : la *Préface* sort du cadre de sa définition pour annexer les prérogatives d'un genre annexe, le manifeste, texte d'avant-garde, autoritaire et fondateur qui cherche à emporter l'adhésion.

La *Préface*, contretype du drame de *Cromwell*

Pour comprendre l'essence et la valeur stratégique de la *Préface*, il est essentiel de la relier au drame qui l'accompagne. Car ces deux textes sont conçus sur le même principe de la transgression. Tandis que le premier (la *Préface*) détourne le genre auquel il prétend se rattacher, le second, injouable et destiné à la lecture, constitue une véritable infraction au principe fondateur du théâtre : la représentation.

La *Préface* fonctionne alors comme un contretype de *Cromwell*, qui propose en avant-première la formule commune aux deux textes : anticipant par sa forme et son contenu la liberté qu'affiche Victor Hugo dans le drame, elle a valeur d'avertissement et retrouve ainsi paradoxalement sa fonction d'origine.

Correspondances

Le glissement du genre de la préface dans le registre polémique ou didactique obéit à une longue tradition. Les écrivains classiques, par exemple, détournent souvent la préface informative et explicative pour l'inscrire dans le cadre d'un débat sur l'art littéraire ou d'un règlement de comptes avec un ennemi déclaré. La préface devient alors un texte de justification ou de combat. S'inscrivent également dans cette tradition, les romanciers du XIXe siècle, avec des préfaces-programmes qui empiètent sur le terrain de l'essai ou du manifeste.

- Molière, *Préface* de *Tartuffe*, 1669.
- Théophile Gautier, *Préface* à *Mademoiselle de Maupin*, mai 1834.
- Maupassant, *Préface* de *Pierre et Jean*, 1887.

1

Entre 1664 et 1669, Molière a présenté trois versions de *Tartuffe*. Deux fois interdite sous la pression du parti dévot, la pièce put finalement être présentée au public le 5 février 1669. Dans la *Préface* qui accompagne le texte, Molière justifie ses choix, règle ses comptes avec ses ennemis, en soutenant au passage l'innocence et le bien-fondé de la comédie.

J'avoue qu'il y a eu des temps où la comédie s'est corrompue. Et qu'est-ce que dans le monde on ne corrompt point tous les jours ? Il n'y a chose si innocente où les hommes ne puissent porter du crime, point d'art si salutaire dont ils ne soient capables de renverser les intentions, rien de si bon en soi qu'ils ne puissent tourner à de mauvais usages. La médecine est un art profitable, et chacun la révère comme une des plus excellentes choses que nous ayons ; et cependant il y a eu des temps où elle s'est rendue odieuse, et souvent on en a fait un art d'empoisonner les hommes. La philosophie est un présent du Ciel ; elle nous a été donnée pour porter nos esprits à la connaissance d'un Dieu par la contemplation des merveilles de la nature ; et pourtant on n'ignore pas que souvent on l'a détournée de son emploi, et qu'on l'a occupée publiquement à soutenir l'impiété. Les choses même les plus saintes ne sont point à couvert de la corruption des hommes ; et nous voyons des scélérats qui, tous les jours, abusent de la piété, et la font servir méchamment aux crimes les plus grands. Mais on ne laisse pas pour cela de faire les distinctions qu'il est besoin de faire. On n'enveloppe point dans une fausse conséquence la bonté des choses que l'on corrompt, avec la malice des corrupteurs. On sépare toujours le mauvais usage d'avec l'intention de l'art ; et comme on ne s'avise point de défendre la médecine pour avoir été bannie de Rome, ni la philosophie pour avoir été condamnée publiquement dans Athènes, on ne doit point aussi vouloir interdire la comédie pour avoir été censurée en de certains temps. Cette censure a eu ses raisons, qui ne subsistent point ici. Elle s'est renfermée dans ce qu'elle a pu voir ; et nous ne devons point la tirer des bornes qu'elle s'est données, l'étendre plus loin qu'il ne faut, et lui faire embrasser l'innocent avec le coupable. La comédie qu'elle a eu dessein d'attaquer n'est point du tout la comédie que nous voulons défendre. Il se faut bien garder de confondre celle-là avec celle-ci. Ce sont deux personnes de qui les mœurs sont tout à fait opposées. Elles n'ont aucun rapport l'une avec l'autre que la ressemblance du nom ; et ce serait une injustice épouvantable que de vouloir condamner Olympe, qui est femme de bien, parce qu'il y a eu une Olympe qui a été une débauchée. De semblables arrêts, sans doute, feraient un grand désordre dans le monde. Il n'y aurait rien par là qui ne fût condamné ; et, puisque l'on ne garde point cette rigueur à tant de choses dont on abuse tous les jours, on doit bien faire la même grâce à la comédie, et approuver les pièces de théâtre où l'on verra régner l'instruction et l'honnêteté.

Molière, *Préface* de *Tartuffe* (1669).

2

Dans cette préface restée célèbre, Théophile Gautier énonce les principes esthétiques de l'art pour l'art.

Rien de ce qui est beau n'est indispensable à la vie. – On supprimerait les fleurs, le monde n'en souffrirait pas matériellement ; qui voudrait cependant qu'il n'y eût plus de fleurs ? Je renoncerais plutôt aux pommes de terre qu'aux roses, et je crois qu'il n'y a qu'un utilitaire au monde capable d'arracher une plate-bande de tulipes pour y planter des choux.

À quoi sert la beauté des femmes ? Pourvu qu'une femme soit médicalement bien conformée, en état de faire des enfants, elle sera toujours assez bonne pour des économistes.

À quoi bon la musique ? À quoi bon la peinture ? Qui aurait la folie de préférer Mozart à M. Carrel, et Michel-Ange à l'inventeur de la moutarde blanche ?

Il n'y a de vraiment beau que ce qui ne peut servir à rien ; tout ce qui est utile est laid, car c'est l'expression de quelque besoin, et ceux de l'homme sont ignobles et dégoûtants, comme sa pauvre et infirme nature. – L'endroit le plus utile d'une maison, ce sont les latrines.

Moi, n'en déplaise à ces messieurs, je suis de ceux pour qui le superflu est le nécessaire, – et j'aime mieux les choses et les gens en raison inverse des services qu'ils me rendent. Je préfère à certain vase qui me sert un vase chinois, semé de dragons et de mandarins, qui ne me sert pas du tout, et celui de mes talents que j'estime le plus est de ne pas deviner les logogriphes et les charades. Je renoncerais très joyeusement à mes droits de Français et de citoyen pour voir un tableau authentique de Raphaël, ou une belle femme nue : – la princesse Borghèse, par exemple, quand elle a posé pour Canova, ou la Julia Grisi quand elle entre au bain. Je consentirais très volontiers, pour ma part, au retour de cet anthropophage de Charles X, s'il me rapportait, de son château de Bohême, un panier de Tokay ou de Johannisberg, et je trouverais les lois électorales assez larges, si quelques rues l'étaient plus, et d'autres choses moins. Quoique je ne sois pas né dilettante, j'aime mieux le bruit des crincrins et des tambours de basque que celui de la sonnette de M. le président. Je vendrais ma culotte pour avoir une bague, et mon pain pour avoir des confitures. – L'occupation la plus séante à un homme policé me paraît de ne rien faire, ou de fumer analytiquement sa pipe ou son cigare. J'estime aussi beaucoup ceux qui jouent aux quilles, et aussi ceux qui font bien les vers. Vous voyez que les principes utilitaires sont bien loin d'être les miens, et que je ne serai jamais rédacteur dans un journal vertueux, à moins que je ne me convertisse, ce qui serait assez drolatique.

Théophile Gautier,
Préface à *Mademoiselle de Maupin* (1834).

3

La *Préface* de *Pierre et Jean* présentée comme une « étude sur le roman », expose les vues très personnelles de Maupassant sur le roman naturaliste. L'auteur s'y montre un disciple loyal de Flaubert, notamment sur les questions de style.

Quelle que soit la chose qu'on veut dire, il n'y a qu'un mot pour l'exprimer, qu'un verbe pour l'animer et qu'un adjectif pour la qualifier. Il faut donc chercher, jusqu'à ce qu'on les ait découverts, ce mot, ce verbe et cet adjectif, et ne jamais se contenter de l'à-peu-près, ne jamais avoir recours à des supercheries, même heureuses, à des clowneries de langage pour éviter la difficulté.

On peut traduire et indiquer les choses les plus subtiles en appliquant ce vers de Boileau :

D'un mot mis en sa place enseigna le pouvoir.

Il n'est point besoin du vocabulaire bizarre, compliqué, nombreux et chinois qu'on nous impose aujourd'hui sous le nom d'écriture artiste, pour fixer toutes les nuances de la pensée ; mais il faut discerner avec une extrême lucidité toutes les modifications de la valeur d'un mot suivant la place qu'il occupe. Ayons moins de noms, de verbes et d'adjectifs aux sens presque insaisissables, mais plus de phrases différentes, diversement construites, ingénieusement coupées, pleines de sonorités et de rythmes savants. Efforçons-nous d'être des stylistes excellents plutôt que des collectionneurs de termes rares.

Il est, en effet, plus difficile de manier la phrase à son gré, de lui faire tout dire, même ce qu'elle n'exprime pas, de l'emplir de sous-entendus, d'intentions secrètes et non formulées, que d'inventer des expressions nouvelles ou de rechercher, au fond de vieux livres inconnus, toutes celles dont nous avons perdu l'usage et la signification, et qui sont pour nous comme des verbes morts.

La langue française, d'ailleurs, est une eau pure que les écrivains maniérés n'ont jamais pu et ne pourront jamais troubler. Chaque siècle a jeté dans ce courant limpide ses modes, ses archaïsmes prétentieux et ses préciosités, sans que rien surnage de ces tentatives inutiles, de ces efforts impuissants. La nature de cette langue est d'être claire, logique et nerveuse. Elle ne se laisse pas affaiblir, obscurcir ou corrompre. Ceux qui font aujourd'hui des images, sans prendre garde aux termes abstraits, ceux qui font tomber la grêle ou la pluie sur la propreté des vitres, peuvent aussi jeter des pierres à la simplicité de leurs confrères ! Elles frapperont peut-être les confrères qui ont un corps, mais n'atteindront jamais la simplicité qui n'en a pas.

Guy de Maupassant, *Préface* de *Pierre et Jean* (1887).

L'argumentation dans la *Préface* de *Cromwell* Du raisonnement à la poésie

Manifeste plutôt que préface, la *Préface* de *Cromwell* cherche à emporter l'adhésion de ses lecteurs. Texte de combat, elle développe deux méthodes d'argumentation : le raisonnement et la rhétorique.
Par la première méthode, Victor Hugo s'engage dans une démonstration et tente de valider sur un mode scientifique des arguments essentiellement historiques et littéraires. Il s'adresse à l'intelligence de ses lecteurs. Par la seconde, il essaie, en exploitant tous les procédés de l'éloquence, de rallier le public à ses thèses. Ses arguments s'adressent alors à la sensibilité et à l'imagination du lecteur. Ils sont plutôt d'ordre poétique. À travers cette double approche, se révèle un écrivain à la fois théoricien et poète.

Une démarche rationnelle

« Partons d'un fait », ne cesse de répéter Hugo tout au long de sa préface. « Nous sommes historien et non critique » déclare-t-il également dans son évocation des temps modernes, se plaçant ainsi délibérément sur le terrain des faits et de l'objectivité et refusant la spéculation alors même qu'il la pratique.

Pour défendre cette position de principe – que dément le texte –, Hugo utilise différents types de raisonnement, et d'opérations stratégiques tout en s'appuyant sur les procédés de langue du registre didactique.

• Les différents types de raisonnement

La *Préface* repose essentiellement sur le **raisonnement par déduction** qui va du général au particulier, du principe à son illustration. En voici un exemple : « Dans le drame, tel qu'on peut, sinon l'exécuter, du moins le concevoir, tout s'enchaîne et se déduit ainsi que dans la réalité. Le corps y joue son rôle comme l'âme ; et les hommes et les événements, mis en jeu par ce double événement, mis en jeu par ce double agent, passent tour à tour bouffons et terribles, quelquefois terribles et bouffons tout ensemble. Ainsi le juge dira : À la mort, et allons dîner ! Ainsi le sénat romain délibérera sur le turbot de Domitien. Ainsi Socrate, buvant la cigüe... ». Dans un mécanisme de complémentarité, l'idée générale (ici l'association du bouffon et du terrible dans le drame) est validée et éclairée par la référence à plusieurs cas particuliers (les exemples du juge, du sénat romain et de Socrate).

Mais Hugo va plus loin : non seulement le raisonnement déductif est dominant dans le détail de la démonstration, mais il apparaît également au travers du système que forment la *Préface* suivie du drame : la *Préface*, lieu de la théorie, trouve sa première illustration dans le drame de *Cromwell*, même si Hugo, dans les faits, a effectivement procédé selon une démarche inductive, l'expérience ayant précédé l'élaboration de la théorie : « Telles sont, à peu près [...], les idées actuelles de l'auteur de ce livre sur le drame. Il est loin

du reste d'avoir la prétention de donner son essai dramatique comme une émanation de ces idées, qui bien au contraire ne sont peut-être elles-mêmes, à parler naïvement, que des révélations de l'exécution. »
Le **raisonnement par analogie** est systématiquement utilisé. Il met en parallèle des situations et des idées pour renforcer ou réfuter la thèse. Ainsi à propos de l'unité de temps dont Hugo combat le principe : « Verser la même dose de temps à tous les événements ! Appliquer la même mesure sur tout ! On rirait d'un cordonnier qui voudrait mettre le même soulier à tous les pieds ». L'argumentation est d'autant plus forte que le raisonnement rapproche un principe d'esthétique dramatique et une réalité triviale.
Mais Hugo utilise également d'autres ressources de la pensée, par exemple, le **raisonnement par l'absurde** qui consiste à mettre en lumière les incohérences ou la fausseté d'une thèse : « Ce qu'il y a d'étrange, c'est que les routiniers prétendent appuyer leur règle des deux unités sur la vraisemblance, tandis que c'est précisément le réel qui la tue » : attitude fréquente dans la *Préface*, qui consiste à retourner un argument contre lui-même.
Le **raisonnement inductif** (du cas particulier à des conclusions de portée générale), s'il n'est pas dominant, est quelquefois utilisé. C'est ainsi le cas lorsque Hugo cite l'auteur dramatique Delille comme exemple de « la roideur, de l'apparat, du *pomposo* », comme le symbole du « mauvais goût du siècle dernier » qui, par sa pauvreté, a entraîné la condamnation du vers en faveur de la prose . À partir de ce cas particulier, Hugo conclut que « ce n'était pas aux vers qu'il fallait s'en prendre mais aux versifica-

teurs » et prend parti en faveur de l'utilisation du vers dans le drame.

• **Les opérations stratégiques**

L'opération de base de la pensée logique – énoncé d'une thèse – se double d'opérations plus stratégiques comme **l'exemple et la référence** dont Victor Hugo fait une utilisation massive dans sa *Préface* : exemples concrets qui évoquent des faits précis, exemples empruntés à l'histoire ou à la littérature qui constituent des arguments d'autorité, contre-exemples qui présentent un cas particulier destiné à contredire une thèse... Pas une idée qui ne se greffe sur un exemple ou sur une référence. Par cette méthode, Victor Hugo entend apporter des preuves à l'appui de ses idées et ancrer le raisonnement dans la réalité. Pourtant, l'exemple n'est pas toujours bien choisi ; il est parfois arbitraire, ce qui le vide de sa substance argumentative. Mais, emporté par son élan, Victor Hugo ne s'arrête pas à ce détail, soucieux de valider sa pensée par l'avalanche des références qu'il déverse sur le lecteur. Dès lors, la profusion des exemples est un argument à lui seul et sert de preuve à la thèse.

Dans le même ordre d'idée, la **citation d'auteur** cherche à appuyer la démonstration : Victor Hugo va ainsi jusqu'à reproduire des pans entiers des textes de la *Querelle* du *Cid*, sous leur forme originale, avec la graphie de l'époque.

Caractéristique également de la démarche démonstrative de l'écrivain, **l'assertion** qui, tout au long de la *Préface*, assène des idées sous forme de prémisses ou de conclusion : « la poésie vraie, la poésie complète est dans l'harmonie des contraires », « tout ce qui est dans la nature est dans l'art ». Péremptoire, elle se présente par sa forme affirmative et sa tonalité assurée comme une vérité établie.

Victor Hugo a aussi fréquemment recours à l'**objection** et à la **réfutation**, système par lequel il anticipe les arguments de ses adversaires pour les invalider aussitôt. Par ce mécanisme, il inscrit son discours dans un dialogue fictif : « Ainsi, que des pédants étourdis (l'un n'exclut pas l'autre) prétendent que le difforme, le laid, le grotesque, ne doit jamais être un objet d'imitation pour l'art, on leur répond que le grotesque, c'est la comédie, et qu'apparemment la comédie fait partie de l'art. Tartuffe n'est pas beau, Pourceaugnac n'est pas noble ; Pourceaugnac et Tartuffe sont d'admirables jets de l'art. » En mentionnant ou en devançant les arguments de ses adversaires, il coupe l'herbe sous les pieds de ses détracteurs et se donne le beau rôle en montrant que sa démarche s'inscrit dans le cadre libéral de la discussion.

La **comparaison** est également fondamentale dans l'approche de Victor Hugo. Prenons pour exemple la comparaison entre le théâtre grec et le drame : « l'un n'obéit qu'aux lois qui lui sont propres, tandis que l'autre s'applique des conditions d'être parfaitement étrangères à son essence. L'un est artiste, l'autre est artificiel » : la comparaison, renforcée ici par l'antithèse, fait apparaître des différences radicales et fortifie ainsi la thèse du locuteur.

La **concession** quant à elle constitue l'une des habiletés du raisonnement dans la *Préface* : en admettant certains points de la théorie adverse, Hugo se défend d'être sectaire et souligne son impartialité. Ainsi, pour défendre sa thèse contre l'unité de lieu admet-il certaines objections des tenants du classicisme : « Nous concevons qu'on pourrait dire : il y a dans des changements trop fréquents de décoration quelque chose qui embrouille et fatigue le spectateur, et qui produit sur son attention l'effet de l'éblouissement. »

• Le registre didactique

Résolument démonstrative, la *Préface* utilise une langue scientifique et pédagogique qui inscrit le texte dans le registre didactique. Les indices de cette approche abondent au fil du texte, sous des formes multiples :

– **Un vocabulaire scientifique :** « une des dernières *observations* qui achève de *marquer le caractère* épique de ces temps », « il suffirait enfin, pour *démontrer* l'absurdité de la règle des deux unités ».

– **Des connecteurs logiques** qui assurent la progression de la pensée et soulignent la logique de la démonstration : « Partons d'un fait... voilà donc... Nous allons essayer de démêler... ; « Nous le répétons... mais...voilà tout... » ; « Il y a mieux » ; « Nous venons de voir... nous ferons remarquer que...eneffet....d'ailleurs... comme nous l'avons déjà indiqué...aussi...mais ».

– **Des formules conclusives** qui permettent de repérer les grandes articulations de la pensée et mettent en évidence la progression de la démonstration : « ainsi, pour résumer rapidement les faits que nous avons observés jusqu'ici... »

– **Des indications de démarche** particulièrement ingénieuses sur le plan de l'argumentation. En exposant les grandes étapes de sa démonstration, Hugo met en évidence son souci pédagogique et se pose en maître

d'école : « Qu'on nous permette de reprendre ici quelques idées déjà énoncées, mais sur lesquelles il faut insister. Nous y sommes arrivés, maintenant il faut que nous en reparlions. »
– **Des précautions oratoires** qui prétendent masquer l'autorité d'un argument dans une démarche de fausse modestie : « qu'on nous pardonne d'exposer un résultat que de lui-même le lecteur a déjà dû tirer de ce qui a été dit plus haut. »

Ainsi la *Préface* se présente-t-elle comme un long raisonnement au service de la démonstration, une leçon qui prétend asseoir sa validité sur les faits.
Pourtant cette volonté affichée et revendiquée tout au long du texte se trouve invalidée par des éléments contraires :
– D'une part, les arguments sont parfois fautifs, car, pour soutenir sa thèse, Hugo procède souvent par généralisation, simplification et systématisation, au détriment de la vérité historique.
– D'autre part, en pleine démonstration, le discours s'infléchit invariablement dans le sens de la rhétorique et de la poésie.

Une démonstration fautive et incomplète

• Les arguments historiques
Dans sa théorie des trois âges, Hugo adopte une démarche historique mais éveille la critique : par une approche trop systématique, il fausse la vérité historique. On citera notamment les points suivants, sujets à discussion :
– Le découpage en trois périodes reste arbitraire.

– La frontière entre les temps primitifs et les temps épiques n'est pas précisée.
– L'idée selon laquelle les temps primitifs incarnés par la Genèse sont lyriques, est contestable : Chateaubriand lui-même affirme dans le *Génie du christianisme* que les premiers livres de la Bible se rattachent à l'inspiration épique.
– L'affirmation selon laquelle les temps antiques ne produisent que des œuvres épiques est contredite par les faits : le lyrisme est largement représenté (ex. : Pindare, Anacréon), tout comme le tragique (Eschyle, Sophocle, Euripide). Hugo ne mentionne pas les épopées orientales antérieures à l'*Iliade* et l'*Odyssée*. En affirmant que l'épopée expire avec l'*Énéide*, il balaie toutes les œuvres ultérieures d'inspiration épique. L'assertion « Virgile copie Homère » paraît inacceptable sur le plan de la vérité littéraire.
– Le grotesque, présenté comme une notion contemporaine, est pourtant présent dans l'*Iliade* et l'*Odyssée,* tout comme au théâtre (Aristophane et Plaute). Il apparaît donc dès l'Antiquité.

• **Les arguments littéraires**

Il en est de même pour certains arguments littéraires. Si la plupart des références et des jugements font de Victor Hugo un grand connaisseur des littératures française et étrangère, ancienne et contemporaine et un esthète avisé de la langue, on relève dans la *Préface* nombre de jugements à l'emporte-pièce qui faussent l'histoire littéraire. Ainsi, lorsque Victor Hugo nie la valeur d'Aristophane et de Plaute : « Près des colosses homériques, Eschyle, Sophocle, Euripide, que sont Aristophane et Plaute ? Homère les emporte avec lui, comme Hercule emportait les Pygmées, cachés dans sa peau de lion ». De même, enfin, quand il mentionne comme « les trois grands génies caractéristiques de notre scène » : Corneille, Molière, Beaumarchais en oubliant Racine.

• L'absence d'arguments

Le refus d'argumenter, s'il est rare, apparaît quelquefois dans le corps de la démonstration, soit qu'Hugo refuse d'entrer dans une polémique, soit que les arguments lui fassent défaut. Il se défausse alors en pratiquant, au passage, l'ironie. Par exemple, lorsqu'il s'agit de répondre aux conservateurs défenseurs du bon goût et pourfendeurs du grotesque en littérature : « Ces arguments sont solides sans doute, et surtout d'une rare nouveauté. Mais notre rôle n'est pas d'y répondre. Nous ne bâtissons pas ici des systèmes, parce que Dieu nous garde des systèmes. »

• Les attaques directes et le sarcasme

Victor Hugo n'hésite pas à lancer des attaques directes. Il quitte alors le terrain de la démonstration pour engager ouvertement la polémique : « Quoi de plus contraire, nous ne dirons pas à la vérité, les scolastiques en font bon marché, mais à la vraisemblance ? » ; « l'action encadrée de force dans les vingt-quatre heures est aussi ridicule qu'encadrée dans le vestibule. »

L'éloquence : enthousiasme et poésie

Choqués, bousculés dans leurs habitudes de pensée, les critiques contemporains, on le sait, ont vilipendé les idées de Victor Hugo sur l'art dramatique. Mais presque tous ont reconnu la qualité artistique de la

Préface, son souffle à la fois lyrique et épique. Bien plus que l'appareil démonstratif, le bonheur de l'expression a rallié les suffrages.
On trouve effectivement dans la *Préface* des passages visionnaires mêlés au raisonnement et à la démonstration, véritables morceaux de bravoure qui soulèvent l'enthousiasme. On prendra pour exemple l'évocation du monde romain à l'agonie où Victor Hugo met en scène le cadavre d'une civilisation morte, le développement sur la muse moderne qui s'emporte dans un vaste mouvement épique et prophétique favorable au mélange des genres, ou encore la tirade sur la liberté dans l'art et le portrait de Cromwell, cet « être complexe et hétérogène ».
C'est là que l'argumentation change de nature : Hugo quitte le domaine du raisonnement et de la description pour celui de la représentation et de la mise en scène. Il utilise alors toutes les ressources de la rhétorique et de la poésie pour frapper l'imagination du lecteur.

• Les images

Les images abondent dans la *Préface*. Sous forme de métaphores et de comparaisons, elles donnent vie aux propos théoriques et font glisser le discours argumentatif dans le champ du lyrisme. À plusieurs reprises, Victor Hugo souligne cet appel de la poésie auquel il ne peut pas résister : « S'il n'était pas ridicule de mêler les fantasques rapprochements de l'imagination aux déductions sévères du raisonnement, un poète pourrait dire que le lever du soleil, par exemple, est un hymne, son midi une éclatante épopée, son coucher un sombre drame où luttent le jour et la nuit, la vie et la mort » ; « Pour rendre sensible par une image les idées que nous venons d'aventurer, nous comparerions la poésie lyrique primitive à un lac paisible qui reflète les nuages et les étoiles du ciel ; l'épopée est le fleuve qui en découle et court, en réfléchissant ses rives, forêts, campagnes et cités, se jeter dans l'océan du drame ». C'est donc souvent consciemment et volontairement que l'auteur quitte le terrain du raisonnement pour celui de l'image, donnant ainsi à l'idée une texture sensible, ouvrant au lecteur les portes du rêve par l'évocation de la nature et du monde vivant au sein même du concept.

• Les oppositions

Les oppositions abondent dans le texte. Essentiellement sous forme d'antithèses, elles provoquent une effet choc par le rapprochement des contraires : « Il [l'art] a pour ses créations les plus capricieuses, des formes, des moyens d'exécution, tout un matériel à remuer. Pour le génie, ce sont des instruments, pour la médiocrité, des outils » ; « Ainsi le but de l'art est presque divin : ressusciter, s'il fait de l'histoire ; créer, s'il fait de la poésie. »

• Les énumérations

L'énumération, qui va de pair avec l'accumulation des exemples et des références dans la démonstration, provoque un effet de masse. Ainsi dans cet exemple où les cas d'espèces sont répertoriés dans un vaste mouvement de recensement : « Les tritons, les satyres, les cyclopes sont des grotesques ; les sirènes, les furies, les parques, les harpies sont des grotesques. » L'énumération séduit par sa richesse et sa variété suggestive, allant parfois jusqu'à faire glisser le discours dans le registre épique.

• L'ironie et la parodie

L'ironie permet à Hugo d'argumenter de façon subtile. Dans la *Préface*, elle apparaît dès la première page, ce qui clarifie d'emblée la visée du texte – polémique – et la position de principe de l'auteur, ennemi déclaré des tenants du classicisme : « À la vérité, plusieurs des principaux champions des "saines doctrines littéraires" lui ont fait l'honneur de lui jeter le gant, jusque dans sa profonde obscurité, à lui, simple et imperceptible spectateur de cette curieuse mêlée. » Dans certains cas, l'ironie s'appuie sur la parodie. Hugo utilise alors le langage moralisateur de ses détracteurs pour mieux s'en démarquer et s'en moquer : « Enfin ! vont dire ici les gens qui, depuis quelque temps nous voient venir, nous vous tenons ! vous voilà pris sur le fait ! Donc, vous faites du laid un type d'imitation, du grotesque, un élément de l'art ! Mais les grâces... mais le bon goût....Ne savez-vous pas que l'art doit rectifier la nature ? Qu'il faut l'anoblir ? Qu'il faut choisir ? »

• Les procédés oratoires

Les **questions rhétoriques** ponctuent le texte. Fausses interrogations qui ne demandent pas de réponses, elle mettent en scène l'idée sous une forme dramatique et expressive : « Que pourraient donc perdre à entrer dans le vers la nature et le vrai ? Nous le demandons à nos prosateurs eux-mêmes, que perdent-ils à la poésie de Molière ? Le vin, qu'on nous permette une trivialité de plus, cesse-t-il d'être du vin pour être en bouteille ? ». Produisant le même effet, les **périodes oratoires** qui mêlent le lyrisme à la rhétorique abondent. Elles lancent la pensée en avant, dans un mouvement généreux et enthousiaste : « C'est une grande et belle chose que de voir se déployer avec cette largeur un drame où l'art développe puissamment la nature ; un drame où l'action marche à la conclusion d'une allure ferme et facile, sans diffusion et sans étranglement ; un drame enfin ou le poète remplisse pleinement le but multiple de l'art [...] ». Ces vastes constructions sont souvent articulées autour de l'**anaphore** ou de la **reprise syntaxique,** ce qui leur donne une force suggestive supplémentaire fondée sur la répétition du rythme et des sonorités. Ainsi dans cette évocation de la société de Cromwell : « et ce parti puritain fanatique... ; et ce parti des cavaliers... ; et ces ambassadeurs... ; et cette famille... ; et ce Thurloë... ; et ce rabbin juif... ; et ce Rochester... ; et ce sauvage Carr... ; et ces fanatiques de tous ordres... »

Le **style direct** et le **dialogue** appartiennent aussi au répertoire de la *Préface*. Ils permettent d'animer la réfutation en donnant la parole aussi bien à Hugo qu'à ses détracteurs : « Mais, s'écriront les douaniers de la pensée, de grands génies les ont pourtant subies, ces règles que vous rejetez ! Eh oui, malheureusement ! Qu'auraient-ils donc fait, ces admirables hommes si on les eût laissés faire ? Ils n'ont pas du moins accepté vos fers sans combat. » Parfois, Hugo s'inscrit en maître à penser dans son propre discours et lance une mise en garde solennelle aux auteurs dramatiques : « Que le poète se garde surtout de copier qui que ce soit, pas plus Shakespeare que Molière, pas plus Schiller que Corneille. »

L'argumentation dans la *Préface* n'est pas celle d'un théoricien de bibliothèque. Rien de froid dans les développements de cette préface-programme. Hugo s'y révèle un jeune écrivain ardent, connaisseur avisé de la littérature, un conquérant qui, emporté par son sujet, fait preuve de prosélytisme, entre en guerre avec les représentants de la vieille garde pour devenir, avec panache, le chef d'école du romantisme. Deux tendances essentielles de l'art hugolien se confirment : la logique et l'éloquence qui, respectivement, servent le concepteur et le visionnaire. On retrouve dans toute l'œuvre de l'auteur, notamment dans les textes engagés, cette alliance de la réflexion et du chant qui donne à l'écriture de Victor Hugo un accent unique, la force de la conviction l'emportant parfois sur la validité des arguments.

Correspondances

Défenseur des grandes causes sociales et politiques, Victor Hugo a écrit de nombreux textes dans lesquels l'argumentation prend appui sur la poésie. En voici quelques échantillons exemplaires, empruntés à différents genres dans lesquels s'est illustré cet art si caractéristique de l'écrivain.

- Victor Hugo, *Préface* d'*Hernani*, 1830.
- Victor Hugo, « Confrontations », *Les Châtiments*, XV.
- Victor Hugo, *Les Misérables*, livre premier, chap. IV.

1

Dans la *Préface* d'*Hernani* du 9 mars 1830, l'argumentation défend le principe du libéralisme en littérature en se fondant sur le libéralisme politique.

« Qu'importe toutefois ? Jeunes gens, ayons bon courage ! Si rude qu'on veuille nous faire le présent, l'avenir sera beau. Le romantisme tant de fois mal défini n'est, à tout prendre,

et c'est là sa définition réelle, si l'on ne l'envisage que sous son côté militant, que le *libéralisme* en littérature. Cette vérité est déjà comprise à peu près de tous les bons esprits, et le nombre en est grand ; et bientôt, car l'œuvre est déjà bien avancée, le libéralisme littéraire ne sera pas moins populaire que le libéralisme politique. La liberté dans l'art, la liberté dans la société, voilà le double but auquel doivent tendre d'un même pas tous les esprits conséquents et logiques : voilà la double bannière qui rallie, à bien peu d'intelligences près (lesquelles s'éclaireront) toute la jeunesse si forte et si patiente d'aujourd'hui ; puis, avec la jeunesse et à sa tête l'élite de la génération qui nous a précédés, tous ces sages vieillards qui, après le premier moment de défiance et d'examen, ont reconnu que ce que font leurs fils est une conséquence de ce qu'ils ont fait eux-mêmes, et que la liberté littéraire est fille de la liberté politique.
Ce principe est celui du siècle, et prévaudra. Les *Ultras* de tout genre, classiques ou monarchiques, auront beau se prêter secours pour refaire l'Ancien Régime de toutes pièces, société et littérature ; chaque progrès du pays, chaque développement des intelligences, chaque pas de sa liberté fera crouler tout ce qu'ils auront échafaudé. Et, en définitive, leurs efforts de réaction auront été utiles. En révolution, tout mouvement fait avancer. La vérité et la liberté ont cela d'excellent que tout ce qu'on fait pour elles et tout ce qu'on fait contre elles les sert également. Or, après tant de grandes choses que nos pères ont faites, et que nous avons vues, nous voilà sortis de la vieille forme sociale ; comment ne sortirions-nous pas de la vieille forme poétique ? À peuple nouveau, art nouveau. Tout en admirant la littérature de Louis XIV si bien adaptée à sa monarchie, elle saura bien avoir sa littérature propre et personnelle et nationale, cette France actuelle, cette France du XIXe siècle, à qui Mirabeau a fait sa liberté et Napoléon sa puissance. »

Victor Hugo, *Préface* d'*Hernani*.

2

Le coup d'État de Louis Napoléon Bonaparte le 2 décembre 1851 est suivi le 9 janvier 1852 d'un décret expulsant Victor Hugo du territoire. Le poème suivant a été écrit le 5 janvier 1852 alors que l'écrivain, recherché par la police, réitère son refus du compromis et revendique les valeurs idéales de la République.

CONFRONTATIONS

Ô cadavres, parlez ! quels sont vos assassins ?
Quelles mains ont plongé ces stylets dans vos seins ?
Toi d'abord, que je vois dans cette ombre apparaître,
Ton nom ? – Religion. – Ton meurtrier ? – Le prêtre.
– Vous, vos noms ? – Probité, pudeur, raison, vertu.
– Et qui vous égorgea ? – L'Église. – Toi, qu'es-tu ?
– Je suis la foi publique. – Et qui t'a poignardée ?
– Le serment. – Toi, qui dors de ton sang inondée ?
– Mon nom était justice. – Et quel est ton bourreau ?
– Le juge. – Et toi, géant, son glaive en ton fourreau
Et dont la boue éteint l'auréole enflammée ?
– Je m'appelle Austerlitz. – Qui t'a tué ? – L'armée.

Bruxelles, 5 janvier 1852.
[30/1/1852]

Victor Hugo, *Les Châtiments*, XV.

L'aigle impérial foudroyé par les Châtiments
(Litho de Daumier).

3

Dans cet extrait des *Misérables*, l'évocation de l'échafaud est l'argument fondamental d'une prise de position contre la peine de mort, une cause pour laquelle Victor Hugo s'est battu toute sa vie.

Quant à l'évêque, avoir vu la guillotine fut pour lui un choc, et il fut longtemps à s'en remettre.
L'échafaud, en effet, quand il est là, dressé et debout, a quelque chose qui hallucine. On peut avoir une certaine indifférence sur la peine de mort, ne point se prononcer, dire oui ou non, tant qu'on n'a pas vu de ses yeux une guillotine ; mais si l'on en rencontre une, la secousse est violente, il faut se décider et prendre parti pour ou contre. Les uns admirent, comme de Maistre, les autres exècrent, comme Beccaria. La guillotine est la concrétion de la loi ; elle se nomme *vindicte* ; elle n'est pas neutre, et ne vous permet pas de rester neutre. Qui l'aperçoit frissonne du plus mystérieux des frissons. Toutes les questions sociales dressent autour de ce couperet leur point d'interrogation. L'échafaud est vision. L'échafaud n'est pas une charpente, l'échafaud n'est pas une machine, l'échafaud n'est pas une mécanique inerte faite de bois, de fer et de cordes. Il semble que ce soit une sorte d'être qui a je ne sais quelle sombre initiative ; on dirait que cette charpente voit, que cette machine entend, que cette mécanique comprend, que ce bois, ce fer et ces cordes veulent. Dans la rêverie affreuse où sa présence jette l'âme, l'échafaud apparaît terrible et se mêlant de ce qu'il fait. L'échafaud est le complice du bourreau ; il dévore ; il mange de la chair, il boit du sang. L'échafaud est une sorte de monstre fabriqué par le juge et par le charpentier, un spectre qui semble vivre d'une espèce de vie épouvantable faite de toute la mort qu'il a donnée.

Victor Hugo, *Les Misérables*, Livre I, chap. IV.

DESTIN DE L'ŒUVRE

La *Préface* fut accueillie avec enthousiasme par le public qui reconnut immédiatement dans les idées et le ton de Victor Hugo l'expression d'une sensibilité collective. Le Cénacle désigna l'auteur comme le chef de file du romantisme, attestant la valeur symbolique d'un texte qui, loin de se limiter à lancer un nouveau genre, se présentait comme le manifeste d'une école.
À ce succès populaire répondit l'hostilité de la presse : on accusa Hugo d'irrespect ; on le suspecta d'avoir établi des règles pour justifier *a posteriori* les faiblesses de son drame ; on insinua qu'il s'attribuait des idées empruntées à d'autres ; et surtout on souligna les carences et le parti pris de son analyse historique. Pourtant, même parmi ses détracteurs, des voix se firent entendre pour reconnaître la magnificence de son écriture.

Jugements et critiques

« La plupart de ces idées ne sont point nouvelles ; d'autres ne me paraissent l'être qu'à force de bizarreries ; mais toutes sont présentées avec une spirituelle audace de paradoxe, une vivacité remarquable de style, qui leur donne une apparence de raison et un air de fraîcheur. »

Journal des débats, 3 janvier 1828.

« Ce qui se fait surtout remarquer dès les premières lignes de cette préface, c'est le ton de hauteur dédaigneux avec lequel un jeune écrivain, dont la réputation n'a point dépassé l'enceinte de quelques cercles d'amis, parle de tout ce qui l'a précédé et de ce qui a d'autres idées que celles qu'il professe aujourd'hui. En effet, cette ferveur romantique de sa part est assez moderne ; il fut un temps où il se contentait de faire des odes comme tout le monde, et alors il ne songeait pas à attaquer les réputations et les ouvrages qu'on est convenu depuis longtemps d'admirer [...]. Aujourd'hui il en est tout autrement. Le jeune poète modeste est devenu un professeur, jetant avec fierté ses préceptes à son auditoire absent et discutant avec emphase des objections que personne ne lui fait. »

La Gazette de France, 12 janvier 1828.

« Quoiqu'il lui plaise de dire qu'il a toujours dédaigné de donner à ses œuvres ses préfaces pour bouclier, nous croyons que ses théories dramatiques n'ont été forgées que pour la défense de *Cromwell*, et voilà pourquoi nous refusons de les prendre au sérieux . »

Gustave Planche, *Portraits littéraires*, 1838.

« Il faut lui demander, moins la révélation d'un esprit nouveau, que la condamnation et l'exécution de l'ancien régime littéraire. »

Paul Sourian, *La Préface* de *Cromwell*, Paris, 1897.

« Ce qui, dans notre conviction, a le plus nui au maître, ce qui a perverti alentour une foule de jeunes talents, c'est la mise en pratique de la poétique trop célèbre de *Cromwell*. Certainement, M. Victor Hugo, avec sa prose éloquente, vigoureuse, mais trop tatouée et blasonnée d'images, avait écrit là des pages où se retrouve quelquefois la couleur effrénée de Rubens. Par malheur, ces belles théories nous ont valu la littérature débraillée dont tout le monde est las ; elles ont fait de l'art une sorte de mascarade à paillettes et à oripeaux écarlates [...]. »

Charles Labitte, « Le Grotesque en littérature »,
in *Études littéraires*, 1846.

« Elle [la *Préface*] est avant tout l'expression de cette juste idée qu'il ne saurait y avoir au théâtre de règles fixes et immuables, qu'il n'y a que des conventions qui se modifient d'âge en âge, et que les moyens doivent changer avec le temps, les lieux, les hommes. Elle nous a libérés des lois archaïques qui ne s'accordaient plus avec nos façons de sentir et nos mœurs ; elle a rendu possible non seulement le théâtre de Dumas père dont on se serait bien passé, non seulement celui d'Alfred de Vigny ou de Victor Hugo qui est d'un tout autre prix, mais celui même d'Alfred de Musset qui est quelque chose d'exquis et d'unique. »

André Breton, *La Jeunesse de Victor Hugo,* 1928.

« La *Préface* de *Cromwell*, c'est donc, en somme, le mélodrame prenant conscience de ses moyens et de sa dignité littéraire. On ne diminue pas, à l'avouer, l'importance de ce manifeste. Car de ce jour seulement, et grâce à lui, un genre qui, jusqu'ici, n'avait fait que tâtonner sur les confins de la littérature, y pénètre glorieusement. »

Jules Marsan, *Autour du romantisme,* 1937.

« Quelque opinion qu'on garde de la *Préface*, nous ne pouvons pas ne pas saluer en elle un des grands cris de délivrance de la littérature universelle : c'est d'elle en particulier que date l'ère moderne en poésie. Nous en relevons tous, non seulement les poètes, mais même les prosateurs, même ceux qui combattent aujourd'hui Hugo et le romantisme, car sans Hugo et le romantisme, ils écriraient – que dis-je – ils penseraient autrement. »

Fernand Gregh, *Victor Hugo, sa vie, son œuvre,* 1954.

« [...] la *Préface* de *Cromwell* n'est pas, comme on s'est plu à le croire longtemps, le véritable manifeste du drame romantique. Elle exprime les idées personnelles d'Hugo bien plus que celles de tout son groupe. Si elle eut alors l'importance d'un manifeste, c'est parce qu'on en attendait un, et rien de plus. Quant au drame qui lui faisait suite, il était injouable, en raison de ses dimensions. »

Roland Purnal, *Préface* au *Théâtre complet de Victor Hugo*, éd. Gallimard, Pléiade, tome I, 1963.

« Un simple mérite de forme l'a mieux servi que les plus rares qualités de fond. Il a eu beau répéter des idées déjà exposées par d'autres, et plus ou moins connues, il les a faites siennes, par un procédé bien personnel, qu'il a appliqué partout, même chez lui. À Hauteville-house, le poète fabriquait de sa propre main des chefs-d'œuvre neufs avec des fragments de meubles anciens, grâce à un travail curieux de démolition et de reconstruction : il faisait une œuvre ayant sa nouveauté et son unité harmonieuse à l'aide d'un certain nombre de vieux morceaux disparates [...]. C'est ce qu'il a fait spécialement dans sa *Préface*. Traduisant en images originales les idées d'autrui, il a fait oublier ses prédécesseurs. »

Maurice Souriau, *Introduction à la Préface* de *Cromwell*, éd. Slatkine reprints, Genève, 1973.

« La *Préface* de *Cromwell* innove assez timidement : l'auteur, bien qu'il prétende mettre "le marteau dans les théories, les poétiques et les systèmes", se borne souvent à reprendre des revendications énoncées par Schlegel ou Stendhal ; mais les formules denses, la verve tapageuse, le style claironnant, empanaché de métaphores, confèrent à ce manifeste une allure révolutionnaire. »

P.-G. Castex, P. Surer, G. Becker, *Histoire de la littérature française*, Hachette, 1974.

Compléments notionnels

Accumulation
Énumération de mots ou d'exemples qui crée un effet de richesse et de variété. L'accumulation d'exemples illustre une idée générale et cherche à valider les idées de l'auteur.

Antiphrase
Figure clé de l'ironie qui consiste à dire le contraire de ce qu'on laisse entendre. Outil de dérision utilisé pour critiquer une idée, une conduite ou une personne à mots couverts.

Antithèse
Figure de style qui consiste à opposer deux expressions ou deux idées pour créer un effet à forte valeur dramatique.

Argument
Élément de raisonnement destiné à prouver une thèse.

Argumentatif (discours)
Forme de discours qui vise à convaincre et à prouver par le raisonnement, à persuader par la rhétorique.

Argumentation
Production de discours visant à convaincre ou à persuader. Ensemble d'idées logiquement reliées dans l'intention de démontrer ou de défendre une thèse.

Champ lexical
Ensemble des termes qui, dans un texte, se rapportent à une même idée ou à un même thème.

Concession
Stratégie d'argumentation qui consiste à admettre la validité d'un argument adverse pour mieux le réfuter ensuite.

Connecteur (ou lien logique)
Terme grammatical qui établit un lien logique entre deux énoncés.

Couleur locale
Principe essentiel du drame romantique. Désigne les éléments caractéristiques d'un lieu ou d'une époque.

Déduction
Opération logique qui consiste à aller du général au particulier, du cas particulier à l'idée d'ensemble.

Démonstration
Opération par laquelle on établit une vérité à l'aide de preuves, d'arguments et d'exemples.

Doctrine
Opinion érigée en système, théorie fondée sur une thèse dont on développe les principaux aspects.

Drame romantique
Genre théâtral en vogue de 1827 à 1850. Opère le mélange de la tragédie et de la comédie, du grotesque et du sublime. Hugo en est le théoricien.

Éloquence
Art de bien parler, selon la rhétorique classique.

Énumération
Figure de style qui consiste à énoncer les différentes parties d'un tout et à dresser des inventaires pour créer un effet de précision ou de richesse.

Épique
Registre exaltant l'action héroïque. Fondé sur l'hyperbole, l'exagération, les larges périodes oratoires.

Exemple
Référence qui permet d'appuyer une idée en l'illustrant.

Explicatif
Forme de discours qui a pour but de clarifier un phénomène ou une idée, afin qu'ils soient bien compris.

Grotesque
Opposé à « sublime », dans le drame romantique. Désigne ce qui dans l'être humain ou dans la société s'apparente au corps, à l'animalité, au mal. Difforme, bouffon, horrible.

Induction
Type de raisonnement qui consiste à passer du particulier au général, de l'observation à l'idée et à la règle.

Interrogation oratoire
Fausse question qui n'attend pas de réponse. Elle a le plus souvent une valeur argumentative.

Lyrique
Registre à travers lequel on exprime des sentiments per-

sonnels. Caractéristique de la poésie.

Manifeste
Déclaration écrite par laquelle un mouvement, un parti, un groupe définit son programme.

Mélange des genres
Principe fondateur du drame romantique qui stipule le mélange du tragique et du comique, du grotesque et du sublime.

Mélodrame
Genre dramatique très en vogue à la fin du XVIIIe siècle et au début du XIXe.

Modalisateurs
Mots et procédés grammaticaux qui traduisent le jugement et les sentiments du locuteur dans un énoncé.

Narration
Forme de discours rapportant des événements.

Parallélisme (de construction)
Construction grammaticale identique répétée plusieurs fois.

Parodie
Imitation satirique d'un texte dont on reprend la teneur et les procédés d'expression pour produire un effet comique.

Période
En rhétorique, phrase longue et complexe caractérisée par le souffle et l'ampleur.

Plaidoyer
Discours qui défend un individu ou une thèse. Opposé à réquisitoire.

Polémique
Registre à travers lequel le locuteur entre dans un débat, critique ou agresse.

Préface
Avant-texte qui présente une œuvre pour en défendre l'originalité.

Réfutation
Démonstration qui combat une thèse pour en montrer les faiblesses ou la fausseté.

Réquisitoire
Discours qui dresse la liste des méfaits ou des crimes commis par un individu. Le réquisitoire sert à attaquer, contrairement au plaidoyer, qui permet de défendre.

Rhétorique
Art de bien parler et éloquence oratoire. Désigne

aussi l'art de présenter les idées de la façon la plus persuasive possible.

Sublime

Dans la tragédie classique, désigne une sorte de perfection morale du héros. Il se trouve associé au « grotesque » dans le drame romantique.

Thèse

Prise de position, idée défendue dans un texte argumentatif.

Tragédie classique

Tragédie du XVIIe siècle. Représentée par Corneille et Racine, elle est fondée sur la règle des trois unités.

Unités (trois)

Règle fondamentale du théâtre classique, inspirée de *La Poétique* d'Aristote. On distingue l'unité de lieu (une pièce se déroule en un lieu unique), de temps (l'action occupe vingt-quatre heures), d'action (une seule intrigue).

Éditions

Victor Hugo, *Théâtre complet*, tome 1, Bibliothèque de la Pléiade, Gallimard, 1963.

Victor Hugo, *Cromwell*, Garnier-Flammarion, 1968.

Victor Hugo, *La Préface de Cromwell*, Slatkine Reprints, 1973.

Ouvrages et articles critiques

Sur le Romantisme

P. Van Tieghem, *Le Romantisme français*, « Que sais-je ? », PUF.

Jean-Pierre Richard, *Études sur le romantisme*, Seuil, 1970.

Gérard Gengembre, *Le Romantisme*, Ellipses, 1995.

Sur le XIXe siècle

Dominique Barjot, Jean-Pierre Chaline, André Encrevé, *La France au XIXe siècle*, PUF, 1995.

Sur le drame romantique

M. Descotes, *Le Drame romantique et ses Grands Créateurs*, PUF, 1957.

Michel Lioure, *Le Drame*, Armand Colin, collection « U », 1963.

Michel Lioure, *Le Drame, de Diderot à Ionesco*, Armand Colin, 1973.

J.-J. Roubine, *Introduction aux grandes théories du théâtre*, Bordas, 1990.

Anne Ubersfeld, *Le Drame romantique*, Belin, 1993.

Gérard Gengembre, *Premières leçons sur le drame romantique*, PUF, 1996.

Sur Victor Hugo

Jean Gaudon, *Victor Hugo dramaturge*, l'Arche, 1955.

Henri Guillemin, *Victor Hugo par lui-même*, Seuil, 1964.

Hubert Juin, *Victor Hugo*, Flammarion, 1980.

Philippe Van Tieghem, *Victor Hugo, un génie sans frontières*. Dictionnaire de sa vie et de son œuvre, Larousse, 1985.

CRÉDIT PHOTO : p. 4 et reprise p. 96 : Ph © Bulloz • p. 95 : © Hetzel éditions - B.N. • p. 99 : © Jacques Granville • p. 103 : Ph Jeanbor © Archives Larbor/T • p. 116 : Ph Coll. Archives Larbor • p. 134 : © Archives Photeb • p. 162 : Ph Jeanbor © Archives Larbor/T.

Direction de la collection : Line KAROUBI
Direction artistique : Emmanuelle BRAINE-BONNAIRE
Responsable de la fabrication : Marlène DELBEKEN
Édition : Charlotte DAVREU
Révision des textes : Olivier CHAUCHE
Dessin de couverture : Alain BOYER

Compogravure : P.P.C. – Impression : Rotolito Lombarda (Italie)
Dépôt légal : Mai 2009 – 303326 – N° de projet : 11010343 – Octobre 2009